FELIX PREISSHOFEN

UNTERSUCHUNGEN
ZUR DARSTELLUNG DES GREISENALTERS
IN DER FRÜHGRIECHISCHEN DICHTUNG

HERMES

ZEITSCHRIFT FÜR KLASSISCHE PHILOLOGIE

EINZELSCHRIFTEN · HEFT 34

HERAUSGEGEBEN VON

HORST BRAUNERT · KARL BÜCHNER · HERMANN GUNDERT (†)
WOLFGANG KULLMANN · HERBERT NESSELHAUF

HEFT 34
UNTERSUCHUNGEN ZUR DARSTELLUNG DES GREISENALTERS
IN DER FRÜHGRIECHISCHEN DICHTUNG

VON
FELIX PREISSHOFEN

FRANZ STEINER VERLAG GMBH · WIESBADEN
1977

UNTERSUCHUNGEN ZUR DARSTELLUNG DES GREISENALTERS IN DER FRÜHGRIECHISCHEN DICHTUNG

VON

FELIX PREISSHOFEN

FRANZ STEINER VERLAG GMBH · WIESBADEN

1977

CIP-Kurztitelaufnahme der Deutschen Bibliothek

Preisshofen, Felix

Untersuchungen zur Darstellung des Greisenalters
in der frühgriechischen Dichtung

(Hermes: Einzelschriften; H. 34)
ISBN 3-515-02002-0

(

VORWORT

Die vorliegende Arbeit hat im WS 1970/71 der philosophischen Fakultät der Albert-Ludwig-Universität zu Freiburg/Br. als Dissertation vorgelegen. Sie wurde von Professor Gundert angeregt, der in vielen Gesprächen diese Arbeit korrigierend und fördernd begleitet hat. Für wesentliche Anregungen möchte ich auch Professor Büchner danken.

Die Studienstiftung des Deutschen Volkes hat durch großzügige Unterstützung die Durchführung dieser Arbeit ermöglicht.

INHALTSVERZEICHNIS

VERZEICHNIS DER ABKÜRZUNGEN

Adrados, LG   F.R. Adrados, Liricos Griegos, Elegiacos y Yambografos,
                  I 1956; II 1959
Boll,   F. Boll, Die Lebensalter. Ein Beitrag zur antiken Etholo-
Lebensalter   gie und zur Geschichte der Zahlen, 1913 (Kleine Schrif-
                  ten zur Sternkunde des Altertums, 1950, 156 ff.)
Bowra, EGE   C.M. Bowra, Early Greek Elegists, 1935
Bowra, GLP   C.M. Bowra, Greek Lyric Poetry from Alcman to Simo-
                  nides, 1961²
Fränkel, DuPh   H. Fränkel, Dichtung und Philosophie des frühen
                  Griechentums, 1962²
Fränkel, WuF   H. Fränkel, Wege und Formen frühgriechischen Den-
                  kens, 1960²
Gatz, Weltalter   B. Gatz, Weltalter, goldene Zeit und sinnverwandte Vor-
                  stellungen, Spudasmata 16, 1967
Gundert, Pindar   H. Gundert, Pindar und sein Dichterberuf, Frankf. St. z.
                  Relig. u. Kult. d. Antike 10, 1935
Hohnen,   P. Hohnen, Die Altersklage im Herakles des Euripides
Altersklage   und die Wertschätzung des Greisenalters bei den Grie-
                  chen, Diss. Bonn 1952 (Ms.)
Page, SaA   D. Page, Sappho and Alcaeus, An introduction to the
                  study of ancient Lesbian poetry, 1959
Römisch,   E. Römisch, Studien zur älteren griechischen Elegie,
Studien   Frankf. St. z. Relig. u. Kult. d. Antike 7, 1935
Schadewaldt,   W. Schadewaldt, Lebenszeit und Greisenalter im frühen
Lebenszeit   Griechentum, Antike 9, 1933, 285 ff. (Hellas und
                  Hesperien, 1960, 41 ff.)
Schadewaldt,
Sappho   W. Schadewaldt, Sappho, Welt und Dichtung, 1950
Schütz,
Astheneia   W. Schütz, ’Ασθένεια Φύσεως, Diss. Heidelbg. 1964
Snell, EdG   B. Snell, Die Entdeckung des Geistes, 1955³
Thummer,   E. Thummer, Pindar, Die isthmischen Gedichte I 1968;
Isthm. Gedichte   II 1969
Thummer,   E. Thummer, Die Religiosität Pindars, Comm. Aenipont.

Religiosität	12, 1957
Treu, Sappho	M. Treu, Sappho, Lieder, 1963³
Treu, Von Homer zur Lyrik	M. Treu, Von Homer zur Lyrik, Zetemata 12, 1955

Die Fragmente der frühgriechischen Lyriker werden nach folgenden Ausgaben zitiert:

Alkman, Ibykos Anakreon, Simonides	nach D. Page, Poetae Melici Graeci, Oxf. 1962
Tyrtaios, Semonides, Mimnermos, Solon	nach E. Diehl, Anthologia Lyrica Graeca, Teubner I 1949³; II 1952³
Sappho, Alkaios	nachE.Lobel-D.Page,PoetarumLesbiorumFragmenta,Oxf.1955
Theognis	nach D. Young, Theognis, Teubner 1971²
Bacchylides	nach H. Mähler, Bacchylides Carmina Cum Fragmentis, Teubner 1970
Pindar	nach B. Snell, Pindarus, Teubner, I 1959³; II 1964³

EINLEITUNG

Die Frage nach Stellung und Wertung der Lebensalter stellt sich aus der früh-griechischen Literatur vornehmlich als Frage nach dem Verhältnis von Jugend (HBH) und Greisenalter (ΓΗΡΑΣ) dar, während der zwischen diesen beiden liegende Lebensabschnitt in den literarischen Äußerungen nicht in Erscheinung tritt. Für die moderne Forschung fiel die Antwort auf die Frage nach der Bewertung von Jugend und Alter bei den Griechen lange Zeit fast ganz im Sinne des Mimnermos aus; solange die Theorie von der pessimistischen Lebenseinstellung bei den Griechen das Feld behauptete, ergab sich beinahe zwangsläufig der Schluß, daß die Griechen auch das Greisenalter grundsätzlich negativ beurteilten, ja, es scheint, als ob sich die Einschätzung des Greisenalters auf das ganze menschliche Leben übertragen ließe. So entsprach das Urteil, das Burckhardt[1] über die Wertung des Greisenalters bei den Griechen fällte, durchaus der allgemein herrschenden Ansicht. Er schreibt: ,,Eine ganz besondere Stellung in den Klagen über das Erdenleben nimmt das Greisenalter ein. Zwar haben manche berühmte Griechen ein hohes und dabei sehr kräftiges Alter erreicht, und in jenem Gespräch des Sokrates mit Kephalos am Anfang von Platons Staat darf Kephalos behaupten, für gesittete und gut gestimmte Greise habe das Alter nur wenig Beschwerden mit sich. Das Lob sonst nur eben aus Dramatikern, bei welchen, je nach der sprechenden Person, unvermeidlich hie und da Würde und Wert des Alters geltend gemacht werden mußten. In allen unabhängigen Stimmungen aber läßt sich ohne jeden Rückhalt der lauteste Jammer über das Alter vernehmen und dringt auch im Drama oft und viel durch. Hierbei ist zweierlei wohl zu unterscheiden: der Schreck vor dem Alter an sich, wegen seiner Leiden und der offenbar geringen Achtung davor bei den späteren Griechen – und die außerordentlich hohe Schätzung der Jugendzeit ... Die Jugend, darauf geht es hinaus, ist das einzig wahre Lebensalter der Griechen und alles übrige nur die zweifelhafteste Zugabe''.

Doch je mehr das Alter Objekt von Einzelforschungen und je deutlicher die frühgriechische Dichtung in ihrer Eigenart erkannt wurde, um so mehr mußte das Urteil Burckhardts relativiert werden[2].

[1] *J. Burckhardt*, Gesammelte Werke IV, 374 (zitiert nach der Ausgabe der WBg. 1962).

[2] Doch findet sich auch in neueren Darstellungen der griechischen Geistes- und Kulturgeschichte der Topos vom ,,griechischen Pessimismus'' immer wieder, mit Vorliebe belegt durch die Bewertung von Jugend und Alter; vgl. z. B. *R. Harder*, Einführung in die griechische Kultur, 1962, 136 und *F. Wehrli*, Hauptrichtungen des griechischen Denkens, 1964, 57 ff.

Als erster unternahm Schweingruber[3] den Versuch, die Einschätzung der Altersstufen bei den Griechen in größerem Zusammenhang darzustellen. In seiner Abhandlung „Jugend und Alter in der griechischen Literatur von Homer bis Aristoteles" sind eine große Zahl der literarischen Zeugnisse zusammengestellt, doch fehlt eine systematische Auswertung derselben. Die Fragmente der Lyriker werden nur ganz oberflächlich behandelt. Sehr viel ausführlicher hat nach Schweingruber über die Stellung der Griechen zum Greisenalter Richardson[4] unter dem Titel „Old Age among the ancient Greeks" gehandelt. In diesem Buch sind nicht nur alle wichtigen literarischen Äußerungen zum Thema Greisenalter, sondern auch die bildlichen Darstellungen zusammengestellt. Der Vorteil dieser Stellensammlung bringt, wie bei allen Arbeiten dieser Art, einen besonderen Nachteil mit sich. Denn dadurch, daß Richardson in fortlaufenden Kapiteln jeweils zu einer Eigenschaft des Greisenalters Zeugnisse aus der ganzen griechischen Literatur zusammenstellt, ergibt sich ein undifferenziertes Aneinanderreihen der verschiedensten Quellen. Beinahe von selbst versteht sich, daß dabei Kontext, Eigenart der Quellen usw. nicht berücksichtigt werden[5].

In demselben Jahr, in dem das Buch Richardsons erschien, veröffentlichte Schadewaldt den für das Verständnis der frühgriechischen Dichtung überaus wichtigen Aufsatz „Lebenszeit und Greisenalter im frühen Griechentum"[6]. Die Beschränkung auf eine Epoche ermöglichte die bei Richardson vermißte differenziertere Betrachtung und angemessenere Beurteilung der einzelnen Zeugnisse. Das Hauptanliegen Schadewaldts ist es, die Lebensalter-Elegie des Solon in ihrer Eigenart auf dem Hintergrund einer allgemeinen Auseinandersetzung zwischen dem athenischen Staatsmann und dem Jonier Mimnermos zu verstehen. Durch die Gegenüberstellung von Homer und den Lyrikern zeigt er, wie sehr die wechselnde Einschätzung des Greisenalters von der sich erst entwickelnden Zeitauffassung, wie sie Fränkel gerade entdeckt hatte[7], abhängt. Deshalb betont

---

[3] *F. Schweingruber,* Jugend und Alter in der griechischen Literatur von Homer bis Aristoteles, Diss. Zürich 1918.

[4] *B. E. Richardson,* Old age among the ancient Greeks ; The Greek portrayal of old age in literature, art and inscriptions with a study of duration of life among the ancient Greeks on the basis of inscriptional evidence, 1933.

[5] Zur Charakterisierung der Methode von Richardson seien zwei beliebig herausgegriffene Beispiele angeführt. *Richardson* behandelt die physischen Begleiterscheinungen des Greisenalters getrennt von den psychischen ; vgl. Kap. I : The physical aspect of senescence … ; Kap. II : The mental and emotional endowments of old age. Wenn Richardson dabei in Kap. I (S. 7) den alten Laertes als gleich armselig neben den uralten Millionär, den Lukian beschreibt (Dial. Mort. 6,2), stellt, übersieht sie gänzlich, daß die Auflösung des Gesamterscheinungsbildes des Greisenalters bei Homer nicht in derselben Weise möglich ist wie bei Lukian. Ebenso symptomatisch für die nur sammelnde Methode ist, daß z. B. Kephalos aus Platos Staat ohne Unterschied neben Nestor gestellt wird. Die Beispiele ließen sich beliebig vermehren ; doch soll damit dem Buch von Richardson keineswegs der hervorragende Wert abgesprochen werden, der ihm als einziger Quellensammlung zukommt, die die ganze Tradition erfaßt.

[6] *Schadewaldt,* Lebenszeit.

[7] *Fränkel,* DuPh.

er vornehmlich die starke Verschiebung zwischen dem Epos und der Lyrik, um dann Solon gegenüber Mimnermos abzusetzen. Es liegt auf der Hand, daß damit eine gewisse Einseitigkeit verbunden ist, bedingt durch die weitgehende Beschränkung auf den Aspekt der sich wandelnden Zeitauffassung.

Zum Gegenstand einer Einzeluntersuchung wurde das Greisenalter erst wieder von Hohnen[8] gemacht. Seine Arbeit „Die Altersklage im Herakles des Euripides und die Wertschätzung des Greisenalters bei den Griechen" geht von einer genauen Interpretation des zweiten Stasimon im euripideischen Herakles aus und schließt daran eine vergleichende Betrachtung der Altersreflexion vor und nach Euripides. Was Hohnen dabei über die frühgriechische Dichtung ausführt, schließt sich unmittelbar an die Ergebnisse Schadewaldts an und folgt damit der eben besprochenen Beschränkung auf einen Aspekt, den der Zeitauffassung. Darüber hinaus ist die Auswahl der bei ihm behandelten Stellen natürlicherweise auf den Vergleich mit dem Herakles-Stasimon zugeschnitten. Daraus erklärt sich, daß vieles, was in der vorliegenden Arbeit als grundsätzlich wichtig angesehen wird, bei Hohnen nicht behandelt wird. Dementsprechend verliert auch sein drittes Kapitel: „Grundmotive in der Beurteilung und Wertschätzung des Greisenalters", zumindest was die frühgriechische Dichtung angeht, an Verbindlichkeit.

Von ganz anderer Seite wird das Thema in der Arbeit von Schütz „'Ασθένεια Φύσεως"[9] beleuchtet. Die Untersuchung bringt zwar für das hier zu behandelnde Thema direkt nichts, ist aber deswegen besonders wichtig, weil Schütz anhand eines Einzelproblemes (Wodurch konstituieren sich nach Meinung der Griechen Selbständigkeit und Stärke bzw. deren Gegenteil in der menschlichen Physis?) die Frage nach der Berechtigung einer pessimistischen Deutung des Griechentums[10] neu aufrollt und zu sehr differenzierten Ergebnissen kommt, die die Gefahren der vorherrschenden allgemeinen Urteile über diese Frage und die Notwendigkeit neuer, zum großen Teil noch ausstehender Einzeluntersuchungen deutlich machen.

Im Anschluß an Hohnen hat über die Darstellung des Greisenalters in der Tragödie Harbsmeier[11] unter dem Titel „Die alten Menschen bei Euripides" erneut gehandelt; dabei kommt es ihm nicht so sehr auf die Äußerungen über das Greisenalter als auf die Darstellung der auf der Bühne agierenden alten Menschen an. Er stellt die sich radikalisierende und verschärfende Darstellung des alten Menschen bei Euripides deutlich heraus. Ansätze dazu lassen sich schon in der frühgriechischen Dichtung feststellen.

Aus dem über die bisherige Forschung Gesagten wird sich so viel erkennen lassen, daß eine Arbeit über die Stellung der Griechen zum Greisenalter allge-

---

[8] *Hohnen*, Altersklage.
[9] *Schütz*, Astheneia.
[10] *Schütz*, Astheneia, bes. 3 ff.
[11] *D. Harbsmeier*, Die alten Menschen bei Euripides, Diss. Göttingen 1968.

mein erst möglich sein wird, wenn die verschiedenen Epochen in ihrer Eigenart
durch Einzeluntersuchungen deutlicher hervortreten. Aber auch innerhalb dieser Beschränkung kann das Thema noch nicht erschöpft werden. Denn um zu
erfahren, wie sich ein Dichter zum Greisenalter stellt, stehen zwei Wege offen:
zu fragen nach den direkten Äußerungen über das Alter – sei es vom Dichter in
eigener Person über sich bzw. andere oder durch den Mund der im Werk agierenden Gestalten – oder zu fragen nach den indirekten Aussagen, wie sie sich
z.B. erschließen lassen müßten aus einem Alterswerk, in dem das Greisenalter
keineswegs thematisch zu sein brauchte. Die zweite Möglichkeit schließt sich
für die frühgriechische Dichtung fast von selbst aus; denn das Epos läßt eine solche Frage gar nicht zu, die frühgriechische Lyrik aufgrund der Überlieferungssi-
tuation nur in ganz beschränktem Maß; wenn sich einmal, wie im Falle Pindars,
diese Möglichkeit ergibt, kann sie kaum genutzt werden, weil die Kriterien zur
Beurteilung eines Werkes als Alterswerk noch fehlen.

Auch der literarische Gattungsunterschied als formales Problem findet im
Rahmen der vorliegenden Untersuchung nur beschränkt Beachtung. Würde
diese Frage in den Vordergrund rücken, müßte z.B. die Interpretation des Aphrodite-Hymnos (s.S. 13 ff.) ganz anders aussehen. Es wäre dann zu zeigen, wie
gerade der interpretierte Teil zu verstehen ist als einerseits über die Gattung
Hymnosdichtung hinausgreifend – andererseits in seinem gattungsgebundenen
Abstand von den Aussagemöglichkeiten der Lyrik. Wenn Sappho über das Alter
spricht und ihre Stellung dazu in Worte faßt, die sicher ebenso persönlich wie distanziert sind, findet sie durch dieses Sich-Aussagen-Können eine ganz andere
Möglichkeit, vom eigenen Alter zu sprechen, als das im Epos möglich wäre. Daß
freilich jeder Lyriker diese Möglichkeit auf andere Weise nutzt, ist deutlich.

Eine zusätzliche Schwierigkeit ergibt sich daraus, daß sich die Frage, mit welchem Lebensjahr für den Griechen das ΓΗΡΑΣ einsetzt, nicht exakt beantwor-
ten läßt. Daher soll im folgenden von γῆρας als einem Lebensabschnitt gesprochen werden, der lediglich durch bestimmte Symptome charakterisiert ist, ohne
daß eine feste Altersgrenze vorausgesetzt wird. Mit diesen Einschränkungen soll
in der vorliegenden Arbeit die Stellung der frühgriechischen Dichtung zum
Greisenalter behandelt werden, und zwar so, daß im Gegensatz zu Richardson
die einzelnen Zeugnisse für sich ausführlich interpretiert werden, im Gegensatz
zu Schadewaldt möglichst Vollständigkeit sowohl der einschlägigen Stellen als
auch der erkennbaren Aspekte und Motive angestrebt wird. Es liegt auf der
Hand, daß entsprechend diesem Programm das Hauptgewicht der Arbeit auf
den Interpretationen liegt. Absichtlich wurde bei den Einzelinterpretationen auf
fortlaufende Vergleiche zwischen den einzelnen Dichtern verzichtet, um der
Gefahr der Kontamination zu entgehen. Die Ausführlichkeit mancher Interpretationen ist darin begründet, daß nicht nur eine Antwort auf die Frage nach der
Stellung des Greisenalters in der frühgriechischen Dichtung gesucht wird; es soll

vielmehr auch und besonders danach gefragt werden, was sich an diesem Einzel-
problem für die frühgriechische Dichtung allgemein und die Eigenart der einzelnen Dichter erkennen läßt[12]. Dieser Ansatz hat zumindest einen Vorteil: ein
vorgefaßter formaler und inhaltlicher Bezugspunkt, der von vornherein wie bei
Hohnen und Schadewaldt die Untersuchung auf einzelne Aspekte oder Motive
festlegen könnte, besteht in dieser Arbeit nicht. Die „individuellste" Epoche der
griechischen Literatur um eines Programmes willen zu systematisieren, soll hier
nicht versucht werden. Auch der Umstand, daß an erster Stelle ein thematischer
Zusammenhang („Das Greisenalter und die Götter") behandelt wird, soll nicht
als Fixpunkt gelten; dieser Abschnitt ist deswegen an den Anfang gestellt worden, weil sich in ihm einige – nicht einmal die meisten – Motive exemplarisch
vorführen lassen. An diesen Vorspann schließt sich der Hauptteil mit den so weit
wie möglich nach chronologischen Gesichtspunkten angeordneten Einzelinterpretationen. Die nachfolgende Motivsammlung soll die einzelnen Zeugnisse aus
ihrer Isolation heben. Den Schluß bildet der Versuch, ausgehend von der Frage
nach dem Greisenalter einige allgemeine, für die frühgriechische Dichtung bestimmende Linien zu skizzieren.

---

[12] Daß dabei in der vorliegenden Arbeit nur einzelne Aspekte der verschiedenen Dichtungen behandelt werden können, versteht sich von selbst.

A DAS GREISENALTER UND DIE GÖTTER

1. ALTERSLOSE GÖTTER UND DER ‚ALTE GOTT‘

Um das ‚unbekümmerte‘ Wesen der Götter zu kennzeichnen, hat die früh-griechische Dichtung die zur Formel gewordene Aussage geprägt: ἀθάνατος καὶ ἀγήραος ἤματα πάντα. Wie sehr das vom menschlichen Dasein her gedacht ist, zeigt die negative Sprachform. Obwohl es sich um eine formelhafte Aussage handelt, wird sie nicht beliebig zur Kennzeichnung von etwas Göttlichem über-haupt verwendet, sondern fast ausschließlich dort, wo vom Menschen her auf das Göttliche reflektiert wird[13] oder die Wandlung eines Sterblichen zu einem Gott bezeichnet werden soll[14]. Wenn Anaximander im Zusammenhang mit dem ‚Apeiron‘ das Epitheton ἀγήραον verwendet, so liegt wahrscheinlich die zi-tierte Formel zugrunde[15]. Noch bei Theokrit ist der Aufstieg eines Menschen zu den Göttern als Befreiung vom Alter charakterisiert[16]. Wird die Formel variiert, geschieht es nicht unbegründet. Bei Hesiod Th. 955 – es handelt sich um Herak-les und seine Hochzeit mit Hebe – führen die „klagenreichen Mühsalen“ (v. 951) zur variierenden Gegensetzung: ἀπήμαντος, das an die Stelle von ἀθά-νατος tritt. Nicht Krankheit, Mühsal oder ähnliche Symptome menschlicher Schwäche und Blindheit, sondern das Alter steht in der Formel neben dem Tod. Den Göttern ist der Tod wesensfremd, sie verabscheuen ihn; und ebenso fremd ist ihnen das Alter, sofern es Verfallen und Auflösung bedeutet[17]. Alter und Tod sind die Grenzen, welche die beiden Bereiche mit aller Schärfe scheiden. Freilich können die Götter den Sterblichen in der Gestalt alter Menschen erscheinen, wie z.B. Aphrodite als alte Dienerin[18] oder Demeter als greise Amme (h.H. II,101), wenn sie damit eine bestimmte Absicht verfolgen. Aber um so eindrucksvoller ist dann auch der Wechsel, wenn z.B. Demeter zu ihrer wahren Gestalt zurück-kehrt, das Alter wie einen Feind von sich wegstößt und in voller, göttlicher Schönheit erstrahlt[19].

[13] Z. B.:P 443–4; ε 218; Hes. Th. 277; Ausnahmen: B 447 und η 94. Als Wunsch des Menschen nach diesem unbeschwerten Leben der Götter: M 323–6; Θ 539; h. H. III 151 und 193.
[14] Vgl. ε 136; η 257 = ψ 336; h. H. II, 242 (vgl. 260–62); Hes. Th. 949.
[15] Fr. 12 B 2 und 3.
[16] Theocr. Id. XVII, 24.
[17] Vgl. Sappho, fr. 201; Y 65; h. H. V. 246.
[18] Γ 386. Daß die Verkleidung gerade der Göttin Aphrodite nicht ganz gelingt, ist verständlich (vgl. Γ 396f.).
[19] h. H. II, 276.

Nicht behandelt zu werden braucht in diesem Zusammenhang das ganze Problem der relativen Altersunterschiede unter den Göttern selbst, der sich aus dem Generationsdenken ergibt. Ist ein Gott „älter", so ist das immer von seinem Anfang her gedacht und wird meist durch πρεσβύτερος, nie etwa durch γεραίτερος bezeichnet. Ein Gott kann alt sein, aber er altert nicht. Ältersein bedeutet: früher geworden. Alter aber in der Bedeutung von Verfall und Stufe vor dem Tod ist den Göttern fremd, während für den Menschen diese Blickrichtung praeponderierend ist. Er erkennt sich und seine Begrenztheit durch den Tod und das Alter am Gegensatz zum Göttlichen. Wie weit das Altern den Menschen von den Göttern trennt, so schwer muß er es als Last empfinden. Überwindet ein Mensch diese Grenze zum Göttlichen, muß er vom Alter befreit werden, so wie es sich im Spiegel des Mythos ausdrückt: Herakles erhält Hebe zur Frau, die Garantin der göttlichen Jugend[20].

„Für alle Tage ohne Alter" zu sein, positiv gewendet: ewige Jugend zu genießen, ist demnach eines der Grundcharakteristika griechischer Götter. So scheint Otto[21] mit Recht zu betonen: „Gemeinsam ist allen Göttern die Unsterblichkeit, und sie heißen die Ewigen, die immer waren; wodurch aber gewiß nicht dogmatisch festgestellt werden sollte, daß sie niemals geboren seien; was bedeutet das gegenüber der Unmeßbarkeit ihres Lebens? Trotzdem konnte man sie sich nicht anders vorstellen als in strahlender Jugendblüte. Das ist für die hellenische Gottesidee sehr bezeichnend und wie ein Symbol ihres eigentümlichen Wesens. Andere Völker haben keine Abneigung dagegen empfunden, ihre Gottheit alt, ja uralt zu denken; konnte doch kein Bild eindrucksvoller vor Augen stellen, welch ehrwürdige Weisheit sie besitze. Aber bei dem Griechen sträubt sich das innerste Gefühl dagegen. Ihm war das Alter ein Zustand der Ermattung, Verarmung und Verdunklung der Natur, jener lebendigen und heiligen Natur, von der er den Geist nie und nimmer trennen konnte. Auch die höchste Weisheit sollte nicht einem Jenseits des Lebens, sondern seiner freudigsten Kraft angehören und die Erkenntnis nicht auf dem weltabgewandten Greisengesicht, sondern auf der jugendlichen Stirn und den blühenden Lippen Apollons wohnen." – Tatsächlich tritt ganz in der Weise, in der Otto Apoll als den jugendlichen Gott und stellvertretend für alle Götter Griechenlands charakterisiert, Apoll im homerischen Hymnos (h. H. III v. 179ff.) in Erscheinung: Der Gott kommt gedankenschnell zur Versammlung der Götter (θεῶν μεθ' ὁμήγυριν ἄλλων v. 187). Sogleich (αὐτίκα) beginnen diese mit Gesang und Tanz, eine Szene, die in bewußtem Gegensatz zur Epiphanie in v.1ff. steht. Alle Götter tanzen mit oder erfreuen sich an dem Schauspiel. Die Musen singen zum Spiel Apolls. Sie singen von den Gaben der Götter, von der Blindheit und Ausweglosigkeit der Sterbli-

---

[20] Diese Mythenversion ist zuerst bei Hes. Th. 940ff. belegt.
[21] W. F. Otto, Die Götter Griechenlands, 1961[5], 127.

chen, von ihrer Unfähigkeit, gegen Tod und Alter ein Abwehrmittel zu finden[22] (v. 189 – 193):

> Μοῦσαι μέν θ᾽ ἅμα πᾶσαι ἀμειβόμεναι ὀπὶ καλῇ
> ὑμνεῦσίν ῥα θεῶν δῶρ᾽ ἄμβροτα ἠδ᾽ ἀνθρώπων
> τλημοσύνας, ὅσ᾽ ἔχοντες ὑπ᾽ ἀθανάτοισι θεοῖσι
> ζώουσ᾽ ἀφραδέες καὶ ἀμήχανοι, οὐδὲ δύνανται
> εὑρέμεναι θανάτοιό τ᾽ ἄκος καὶ γήραος ἄλκαρ.

Natürlich steht hinter v. 193 die Formel: ἀθάνατος καὶ ἀγήραος ἤματα πάντα. Tod und Alter sind es, die die Menschen von den Göttern trennen. Nach diesem Vers richtet der Dichter den Blick von den Menschen zurück auf die göttliche Festversammlung. Zum Lied, das vom unausweichlichen Alter der Menschen handelt, tanzen Chariten (als erstgenannte) und Horen, Harmonia, Hebe und Aphrodite. Der ganze Reigen der Göttinnen, die ja alle einen und jede einen anderen Aspekt der Jugend verkörpern, ist hier wie in bewußtem Gegensatz zur Situation der dem Alter und dem Tod unterworfenen Menschen zusammengeführt (v. 194 – 196). Dazu gesellen sich Artemis, Ares, Hermes. Über allen thronen, ,,sich an dem Schauspiel ergötzend", Leto und Zeus (v. 199 – 206). Die Götter versichern sich selbst ihres ewig ungetrübten und glücklichen Seins, indem sie gerade von dem singen, was den Menschen bestimmt und am meisten bedrückt: Alter und Tod.

So muß hier die ,,kompromißlose Verherrlichung der Jugend" das Alter am schmerzlichsten empfinden lassen, denn der geistig-ethische Aspekt, wie ihn bei Hesiod Nereus verkörpert, hat hier keinen Raum. Aber zu beachten ist, daß das Greisenalter nur dann in die absolute Negativität gleitet, wenn es unter einem Aspekt und in direkter Konfrontation mit dem göttlichen Sein gesehen wird. An anderer Stelle in diesem Hymnos (im delischen Teil: v.146ff.) wird die Festversammlung der Jonier auf Delos besungen; und da können die Menschen, in der hohen Freude des Festes, das doch ein Abbild der göttlichen Homegyris ist, als götterähnlich erscheinen, so sehr, daß der Dichter von den Sterblichen fast die Formel aussagen kann: unsterblich seien sie und ewig ohne Alter (v. 151 – 152):

> φαίη κ᾽ ἀθανάτους καὶ ἀγήρως ἔμμεναι αἰεὶ
> ὃς τότ᾽ ἐπαντιάσει᾽ ὅτ᾽ Ἰάονες ἀθρόοι εἶεν.

Hier wäre in der menschlichen Feier, dem Gegenbild zum Fest der Götter, bei dem die Musen vom unabwehrbaren Alter der Menschen singen – zumindest für den Augenblick – ein θανάτοιό τ᾽ ἄκος καὶ γήραος ἄλκαρ gefunden[23].

---

[22] Zur Bedeutung von τλημοσύνη und der umstrittenen Formulierung θεῶν δῶρα vgl. *E. Heitsch*, Hermes 92, 1964, 257ff.

[23] Es wurde schon darauf hingewiesen, daß in diesem ersten Kapitel an Hand einiger Texte entscheidende Aspekte zur Beurteilung des Greisenalters vorgeführt werden sollen, ohne Rücksicht auf

Aber dem Menschen müßte doch immer, wenn er seinen Blick auf eine solch geartete Welt der Götter richtet, ganz im Sinne des Dichters des pythischen Apollohymnos und entsprechend der Charakteristik Ottos das Alter als unerträgliche Privation erscheinen. Dieser Lebensabschnitt gäbe nur noch Raum für pessimistische Klagen. Aber neben den ,,alterslosen" Göttern steht bei Hesiod der ,,Alte Gott", der zu Ottos Charakteristik nicht paßt. Es ist der Meergreis (ἅλιος γέρων), sei es in der Gestalt des Nereus, Phorkys, Proteus oder Glaukos[24]. Der Meeralte ist als Greis prädiziert von Anfang an und hat nie einen Verjüngungsprozeß wie andere Götter erfahren.

In der Ilias wird der Meeralte ohne Benennung oder besondere Kennzeichnung nur als Vater der Thetis genannt[25]. In der Odyssee erscheint er als Phorkys, ebenfalls ohne besondere Prädikate[26]. Zu einer weiter ausgebildeten, plastischen Gestalt wird er in der Menelaos-Proteus-Episode: Proteus ist der unsterbliche, wahrsprechende Meergreis, der alle Tiefen des Meeres weiß[27]. Dies Wissen ist es, was für νημερτής bürgt[28]. Außer durch νημερτής ist der Meeralte der Odyssee besonders durch seine Verwandlungskünste gekennzeichnet, die eigentlich eine Barriere für denjenigen darstellen, der die Wahrheit sucht. Bezeichnenderweise wird gerade diese Eigenschaft von Hesiod in der Theogonie übergangen, während er die Betonung auf νημερτής legt. Das weist auf eine bewußte Gestaltung des Nereuspassus, der in der wissenschaftlichen Literatur im Gegensatz zum anschließenden Nereidenkatalog fast immer in den Hintergrund tritt. Er soll hier in seinem Zusammenhang betrachtet werden.

In den vv. 116 – 122 führt Hesiod die drei Urmächte vor: Chaos, Gaia und Eros. In vv. 123 – 125 setzt die erste Genealogiereihe ein mit den ersten Nachkommen des Chaos: Erebos und Nyx[29], aus deren Vereinigung Αἰθήρ und Ἡμέρη entspringen, Mächte, die durch nichts negativ belastet sind. In den vv. 126 – 210 wechselt der Blick zur zweiten Genealogiereihe: Gaia und ihre Nach-

die Entstehungszeit der verschiedenen Stellen. Es soll hier auf keinen Fall der Eindruck entstehen, daß die Verse 146 ff. und 186 ff. als von demselben Autor entstanden angesehen werden. Mit Sicherheit nimmt der Dichter des pythischen Hymnus gerade mit diesem Passus auf den delischen Hymnus Bezug; er vertritt sozusagen inhaltlich die Gegenposition. Dieser gegensätzliche Bezug ist übersehen bei *D. Kolk*, Der pythische Apollonhymnus als aitiologische Dichtung, 1963. Berücksichtigt sind die beiden Passagen in ihrem Bezug bei *W. Unte*, Studien zum homerischen Apollonhymnus, Diss. Berlin 1968, 53 ff. Jedoch werden in der letzteren Arbeit die zitierten Passagen in etwas gewaltsamer Weise in Verbindung gebracht, da es das erklärte Ziel von Unte ist, die Einheit des ganzen Hymnus zu erweisen.

[24] Wie die verschiedenen Meeralten religionsgeschichtlich einzuordnen sind, ob sie ursprünglich Hypostasen e i n e s Meeralten sind oder nicht, ist hier ohne Bedeutung; vgl. *M. Nilsson*, Geschichte der griechischen Religion, 1967[3], 240 ff.; *E. Buschor*, Meermänner, Abh. München, 1941.

[25] A 358, 538, 556; Σ 36, 141; Υ 107; Ω 562.

[26] v 96 (= 345); α 72.

[27] δ 384 ff., 542.

[28] Es fällt auf, daß der göttliche Greis in diesem Zusammenhang das Epitheton ἴφθιμος (v. 365) erhält.

[29] Für das Folgende vgl. *H. Fränkel*, WuF 316 ff.

fahren, die Titanen. Mit v. 211 kehrt der Gedanke zur Nyx-Genealogiereihe zurück, in der alle negativen oder zumindest ambivalenten Mächte versammelt sind, wie Moros, Ker, Thanatos u.s.w.; eine unheilvolle Szenerie tut sich auf! Mitten in dieser düsteren Reihe zwischen Apate, Philotes und Eris wird das „schlimme Alter" (v. 225) genannt. Darauf folgt in sieben weiteren Versen die nicht minder verhängnisvolle Nachkommenschaft der Eris (v. 226 – 232):

αὐτὰρ Ἔρις στυγερὴ τέκε μὲν Πόνον ἀλγινόεντα
Λήθην τε Λιμόν τε καὶ Ἄλγεα δακρυόεντα
Ὑσμίνας τε Μάχας τε Φόνους τ' Ἀνδροκτασίας τε
Νείκεά τε Ψευδέας τε Λόγους Ἀμφιλογίας τε
Δυσνομίην τ' Ἀάτην τε, συνήθεας ἀλλήλησιν,
Ὅρκον θ', ὃς δὴ πλεῖστον ἐπιχθονίους ἀνθρώπους
πημαίνει, ὅτε κέν τις ἑκὼν ἐπίορκον ὀμόσσῃ.

An dieser Stelle wird die Nyx-Reihe unterbrochen; denn mit Vers 233 wendet sich der Blick erneut zur Gaia-Linie. Pontos, der direkte Gaia-Nachfahre, zeugt Nereus (v. 233 – 236):

Νηρέα δ' ἀψευδέα καὶ ἀληθέα γείνατο Πόντος,
πρεσβύτατον παίδων · αὐτὰρ καλέουσι γέροντα,
οὕνεκα νημερτής τε καὶ ἤπιος, οὐδὲ θεμιστέων
λήθεται, ἀλλὰ δίκαια καὶ ἤπια δήνεα οἶδεν·

Es ist deutlich, daß Hesiod in den Versen 211 – 222 einerseits und 223 – 232 andererseits zwei Gruppen von Mächten einander gegenübergestellt, von denen keine die absolute Vorherrschaft für sich proklamieren kann; vielmehr bestimmen sie in einer Art Verflochtenheit die Welt der Menschen. Der Nereus/Nereidenpassus stellt den positiven Gegenpol zur dunklen Schwere der vorausgehenden Nyxnachkommen her[30]. Bestätigt wird dies durch das schon erwähnte Übergehen der „Verwandlungskünste" (s.S. 9). Denn gerade dem Trügerisch-Wandelbaren der Nyx-Nachkommenschaft muß entgegnet werden; und ganz bewußt ist offensichtlich der Λήθη (v. 227) entgegengestellt: οὐδὲ θεμιστέων λήθεται (v. 235). Der Greis Nereus mit seinen guten Eigenschaften steht dem „verwünschten Alter" (v. 225) gegenüber[31]. Ja gerade wegen dieser Eigenschaften – so Hesiod – nennt man ihn „den Alten". Wir dürfen das umkehren: der Meeralte, der seit jeher der unsterbliche Greis schlechthin ist und alt ist, ohne zu

---

[30] Vgl. H. Diller, Hesiod und die Anfänge der griechischen Philosophie, AuA 2, 1946, 146: „Wie um die Überschüttung mit soviel Negativem auszugleichen, wird gleich darauf der Meergott Nereus ... und seine Töchter .... eingeführt". Völlig vernachlässigt ist dieser Zusammenhang bei C. Ramnoux, La Nuit et ses enfants dans la tradition Grecque, 1959.
[31] Zur Bewertung des Alters bei Hesiod allgemein vgl. S. 42 ff.

altern³², erhält Eigenschaften, die zumindest teilweise eine einfache positive Altersp
rädikation sind.

Nun haben gerade diese Verse, besonders v. 234, wenig Verständnis gefunden. Jacoby hat in seiner Ausgabe angemerkt: „locus nondum sanatus". Daran anschließend hat Merkelbach³³ eine Konjektur vorgeschlagen. Er schreibt: „Der Satz: sie nennen ihn Greis, weil er νημερτής und ἤπιος ist, gibt keinen Sinn. Ist es Kennzeichen eines Greises untrüglich zu sein? Offenbar will Hesiod eine Etymologie des Namens Νηρεύς geben. Νημερτής klingt offenbar an Νη – ρεύς an. Aber was hat ἤπιος mit Νηρεύς zu tun? Wenn die Etymologie des Namens vollständig gegeben werden soll, müßte das ‚ρ' von Νη – ρ – εύς erklärt werden. Hesiod wollte mit ἤπιος = freundlich an das epische Wort ἦρα = χάριν erinnern. Die Etymologie ist dann so zu verstehen: sie nennen ihn Νη – ηρ – ρέα, weil er νημερτής (Νη–) und ἤπιος (– ηρ –) ist. Es ist also zu lesen: Νηρέα δὲ καλέουσι γέροντα, οὕνεκα νημερτής τε καὶ ἤπιος κτλ. Da das Wort ἦρα = χάριν nur ein Wort der epischen Kunstsprache war, verstand man bald nicht mehr, daß νημερτής τε καὶ ἤπιος eine etymologisierende Erklärung des Namens Νηρεύς geben sollte, empfand die Wiederholung des Namens als anstößig und ersetzte ihn durch αὐτάρ". Soweit Merkelbach. Daß Hesiod das Etymologisieren liebt, wurde seit langem betont. Aber ist daraus die Berechtigung abzuleiten, an unserer Stelle den überlieferten Text zu ändern? Merkelbach fragt: „Ist es ein Kennzeichen eines Greises untrüglich zu sein?" Dem ist entgegenzuhalten, daß dies νημερτής schon bei Homer³⁴ Epitheton des Meergreises ist, sich also Hesiod anbietet, ohne daß wir an ein Etymologisieren denken müssen, und dort zusammengebracht ist mit εἰδέναι, dem Wissen, das vorzüglich dem Alter ansteht und auch bei Hesiod v. 236 erscheint, wie ja eben die Verbindung von Untrüglichkeit und Wissen von Homer her (Nestor) für das Alter geläufig ist. Die Nichtbeachtung dieser Tradition und die Vernachlässigung der Komposition der Verse 211ff. waren wohl die Gründe für die Verständnisschwierigkeiten seit Jacoby. Auch ist das πρεσβύτατον παίδων in v. 234 nicht nur homerisch als „frühest Gewordener", sondern auch als „Älterer" zu verstehen³⁵. Daß in νημερτής Νη– anklingt, könnte man noch zugestehen. Der Umweg aber, der gemacht werden muß, um das ρ von Νη– ρ – εύς aus ἤπιος, in dem das gar nicht im Text vorhandene ἦρα anklingen soll, zu erklären, verurteilt sich selbst. Es gibt sonst kein Beispiel, daß eine etymologische Deutung ohne das erklärende Wort gegeben wird. Es empfiehlt sich also, den überlieferten Text nicht anzuta-

---

³² In diesem Sinn ist natürlich auch der Meeralte ἀθάνατος καὶ ἀγήραος, jedenfalls dem physischen Destruktionsprozeß entzogen.

³³ H. Merkelbach, Konjekturen zu Hesiod, StudIt 27, 1956, 289ff.; zur ganzen Diskussion vgl. M. L. West, Hesiod, Theogony, 1966, 232ff. Zu der Art wie Hesiod Etymologien einführt, vgl. J. Blusch, Form und Inhalt von Hesiods individuellem Denken, 1970, 64ff.

³⁴ Auf die Frage nach der Priorität Odyssee–Hesiod kann hier nicht eingegangen werden.

³⁵ Vgl. das Scholion zu v. 234: ἢ διὰ τὸ ἔντιμον καὶ ἀληθὲς ἢ διὰ τὸ γέροντα ἁπλῶς εἶναι.

sten, um so weniger, als er sich als durchaus sinnvoll erweist. Hesiod will offensichtlich dem Γῆρας οὐλόμενον (v. 225) einen anderen Aspekt entgegenstel-
len[36]. Das zeigt sich klar, wenn man den Gegensatz zu den vorhergehenden Versen und die Tatsache bedenkt, daß Hesiod die „Verwandlungskünste" des Alten
übergeht. Statt dessen werden in dreifachem Angang ganz andere Eigenschaften
betont.

    1) νημερτής τε καὶ ἤπιος
    2) οὐδὲ θεμιστέων λήθεται
    3) ἀλλὰ δίκαια καὶ ἤπια δήνεα οἶδεν.

Dabei ist ἤπιος besonders interessant; Hesiod gebraucht das Wort außer an dieser Stelle noch zweimal (Erga 787; Theog. 408). Die Zusammenstellung mit
ἀγανός scheint formelhaft. In der Ilias ist ἤπιος u.a. Epitheton für φάρμακον.
Aufschlußreich ist, daß es in der Odyssee häufig als Beiwort für einen vorbildli-
chen Vater erscheint (β 47; 234; ε 12; ο 152). Es ist damit wohl eine Eigenschaft
gezeichnet, die als „freundliches und gütiges Entgegenkommen" umschrieben
werden kann und hier als bezeichnend für das Alter erscheint.

    Nereus ist als Gott der körperlichen Destruktion des Alters enthoben. Er
kann in reinster Form den ethischen Aspekt des Alters verkörpern, der sich im
Nereidenkatalog bis zum Schluß weiterverfolgen läßt. Daß der Katalog in Vers
262 mit der Nereide Νημερτής (ἣ πατρὸς ἔχει νόον ἀθανάτοιο) programmatisch zum Anfang zurückkehrt, wie ja auch in Θεμιστώ (v. 261) θεμιστέων (v.
235) nachklingt, braucht nicht betont zu werden. Zugleich aber ist zu bedenken,
daß die Nereiden nicht nur ethisch prädiziert sind, sondern auch als die Gra-
ziös-Beweglichen, Schön-Anmutigen erscheinen[37], Charakteristiken, die eben
dem Greisenalter im menschlichen Bereich widersprechen. In beider Gestalt –
geistig und körperlich – nicht nur als Vertreterinnen ethisch-geistiger Aretai,
stehen sie der Nachkommenschaft der Nacht entgegen[38].

    Es erweist sich also die ganze Nereus- und Nereidenpassage als großer Ge-
genpol zu den Versen 211–232. Beide Bereiche sind voneinander getrennt, aber
doch wohl im Sinn der frühgriechischen Dichtung als Darstellung der Doppel-
gesichtigkeit der das menschliche Dasein bestimmenden Mächte zu verstehen.
Γῆρας οὐλόμενον steht so gegen Νηρεὺς γέρων.

    Wenn ein frühgriechischer Dichter Nereus als „Alten Gott" darstellen kann,
wie Hesiod es tut, finden wir uns in unmittelbarem Gegensatz zur Charakteristik der griechischen Götterwelt durch W. F. Otto.

---

[36] Vgl. *E. Risch*, Namensdeutungen und Worterklärungen bei den ältesten griechischen Dichtern, Eumusia, Festschr. Howald 1947, 72 ff.
[37] Vgl. *Snell*, EdG 68 ff.
[38] Die Untersuchung von *F. Fischer*, Nereiden und Okeaniden in Hesiods Theogonie (Diss.
Halle 1934) gibt für den hier behandelten Gedankenkomplex nichts aus. Fischer beschränkt sich
weitgehend darauf, die Nereiden als ursprüngliche Unterweltsgöttinnen zu erweisen.

Das Greisenalter, das im pythischen Apollohymnos paradigmatisch für das unglückselige Los der Menschen überhaupt steht, zeigt sich in der ganz unsentimentalen Darstellung des Hesiod in seiner spezifischen Amphibolie; der Dichter scheint in der Theogonie eine selbstverständliche Bewertung des Alters gefunden zu haben: als Nachkomme der Nacht ist das Alter eine negative Macht; im Bereich der „alterslosen Götter" aber tritt paradigmatisch die positive Seite des Alters hervor im „Alten Gott", ohne daß wir in Versuchung kommen, von einem „weltabgewandten Greisengesicht" zu sprechen, das in die Abstraktion entgleiten könnte.

2. TITHONOS: ALTER ALS VERFALL OHNE ENDE IM BEREICH DER „ALTERSLOSEN GÖTTER"

Exemplarisch hat Hesiod den „positiven" Aspekt des Greisenalters im Gegensatz zum γῆρας οὐλόμενον an dem „Alten Gott" aufgezeigt. Diese Verschiebung der Blickrichtung aus dem menschlichen Bereich heraus ermöglicht es, das Greisenalter frei von der Frage nach dem körperlichen Verfall zu bewerten.

Im Tithonos-Mythos[39], wie er im Aphrodite-Hymnos[40] vorliegt, wird dieser Ansatz in ganz anderer Richtung weitergeführt. Denn durch die verfehlte Bitte der Eos entsteht ein Exempel des körperlichen Verfalls mitten in der Welt der unsterblichen und alterslosen Götter, das sich da als das fürchterlichste Übel erweist. Das Zerrbild endlosen Alterns, wie es der Hymnos darstellt, bleibt ganz – und wohl auch bewußt – auf das Körperliche begrenzt, der geistig-ethische Aspekt wird nicht einmal angedeutet. In der Rede der jugendlich-schönen Göttin Aphrodite erscheint das Alter als menschliches Kakon schlechthin mit einer Kompromißlosigkeit, wie sie sonst nur noch Mimnermos kennt[41] und wie sie indirekt im pythischen Apollonhymnos zum Ausdruck kam.

---

[39] Von der Tithonosgeschichte sind aus der Zeit vor dem Aphroditenhymnus nur Andeutungen überliefert. Im Epos (Λ 1 = ε 1 ; Hes. Th. 984) wird Tithonos nur als Gatte der Eos genannt oder als Bruder des Priamos (Υ 237). Sein unglückliches Schicksal scheint dem Epos unbekannt zu sein. Zu der umstrittenen Frage nach Ursprung und Entwicklung der Tithonosgeschichte vgl. *J. Kakridis*, WSt 48, 1930, 20 ff. und *E. Wüst*, RE, VI, A 2, (1937) 1511 ff. Zu diesen Untersuchungen ist grundsätzlich zu bemerken: wenn die entsprechenden Verse im Aphroditehymnus interpretiert werden, sollte zunächst nach dem Assoziationsspektrum des gleichzeitigen Hörers gefragt werden, der wohl kaum hinter Tithonos eine uralte Lichtgottheit sah (vgl. *Wüst*), noch extrem rationalistische Überlegungen („warum bekommt Tithonos ab. v. 233 nichts mehr zu essen?" fragt Kakridis) angestellt haben wird. Für die Entwicklungsgeschichte mögen solche Überlegungen wichtig sein, weniger für das Verständnis des Aphroditehymnus. Die Abhandlung von *R. Böhme* (Unsterbliche Grillen, JDI 69, 1954, 49 ff.) schließt sich in ihrer Grundtendenz an den Artikel von Wüst an.

[40] Zur Sprache des Hymnus vgl. *O. Zumbach*, Neuerungen in der Sprache der homerischen Hymnen, Diss. Zürich 1955 und *E. Heitsch*, Aphroditehymnos, Aeneas und Homer. Sprachliche Untersuchungen zum Homerproblem, Hypomnemata 15, 1965.

[41] Mim. fr. 4 (vgl. Tyrt. fr. 9, 5).

Der ganze Mittelteil des Hymnos ist bestimmt vom Glanz der festlich ge-
schmückten Liebesgöttin, die sich nach dem Willen des Zeus dem Sterblichen
Anchises verbindet, dessen jugendliche Schönheit wie ein Spiegel für die Göttin
wirkt (v. 53 ff.). Aus Paphos, wo sie von den Chariten geschmückt wird, kommt
Aphrodite zum Idagebirge. Die ganze Natur stimmt sich auf sie ein. So tritt sie
dem staunenden Anchises entgegen, der bei ihrem Anblick von Verlangen er-
griffen wird. Noch hat der junge Hirte Aphrodite nicht erkannt, vermutet freilich sofort eine Göttin in ihr und bittet um ihre Gunst. Der Schluß seiner Rede
lautet (vv. 102 – 106):

σὺ δ' εὔφρονα θυμὸν ἔχουσα
δός με μετὰ Τρώεσσιν ἀριπρεπέ' ἔμμεναι ἄνδρα,
ποίει δ' εἰσοπίσω θαλερὸν γόνον, αὐτὰρ ἔμ' αὐτὸν
δηρὸν ἐῢ ζώειν καὶ ὁρᾶν φάος ἠελίοιο
ὄλβιον ἐν λαοῖς καὶ γήραος οὐδὸν ἱκέσθαι.

Er wünscht, was für ihn als Menschen Lebensglück ausmacht, dazu gehört außer
hervorragender Stellung, blühender Nachkommenschaft und Reichtum auch
ganz selbstverständlich langes Leben und sorgloses Alter. Dies erscheint als
wünschbar und positiv zum Lebensganzen gehörig, freilich unter dem Aspekt,
daß alle übrigen Lebensumstände vom Glück begünstigt sind. Ganz anders die
Bitte, die Anchises, nachdem er das Lager mit der Göttin geteilt hat[42], an die sich
nun in überirdischer Schönheit offenbarende Aphrodite richtet (vv. 185 – 190)!
Angst erfüllt ihn und eine Ahnung, daß die Vereinigung mit einer Göttin dem
Menschen Gefahr bedeuten kann. Aber Aphrodite beruhigt ihn. Sie deutet in ihrer großen Abschiedsrede, mit der der Hymnos endet, das Geschehene, und erläutert die Problematik einer Verbindung zwischen Gott und Mensch, wobei
das Altersmotiv eine entscheidende Rolle spielt.
    Diese Abschiedsrede ist kunstvoll gegliedert, und obwohl es – oberflächlich
gesehen – an Digressionen nicht fehlt, schließt sie sich zu einer Einheit zusammen. Der Anlaß der Rede, Abschied und Ermahnung, über das Geschehene zu
schweigen, bildet Anfang und Ende (vv. 191 – 195; 281 – 290)[43]. Das ist der äußere Ring. Einen zweiten bildet die Prophezeiung über Geburt und Jugend des
Aeneas (vv. 196 – 198; 255 – 280), einen dritten die Klage der Göttin über ihr eigenes Schicksal (vv. 198 – 199; 247 – 254), den Mittelpunkt die genealogische
Reihe und Anchises' Stellung in ihr (vv. 200 – 246). Wiederum im Zentrum dieses Mittelabschnittes steht die Tithonosgeschichte, die zugleich innerhalb dieser
Reihe den größten Umfang hat.

---

[42] Die durch die Trugrede der Göttin wiedergewonnene Sorglosigkeit des Anchises, Voraussetzung für die Vereinigung, läßt den Stimmungskontrast deutlich werden.
[43] Wie bewußt die Rede durchgestaltet ist, ergibt sich schon daraus, daß Aphrodite zunächst (v.
192 ff.), um Anchises von seiner Angst zu befreien, den Gedanken an eine Gefährdung durch die
Götter abweist, am Ende jedoch (v. 286 ff.) eine solche wieder anklingen läßt.

Man kann schematisieren:

A	191–195		Anrede und Versicherung göttlicher Gunst
B	196–198		Prophezeiung über Aeneas
C	198–199		Klage Aphrodites über ihr Mißgeschick
D	200–246		
		1) 200–201	Das Dardanidengeschlecht als von den Göttern besonders begünstigt. Einleitung zu den mytholog. Exempla:
		2) 202–217	Ganymed

ὡς ἔοι ἀθάνατος καὶ ἀγήρως ἶσα θεοῖσιν (v. 214)

      3) 218–238   Tithonos

ὡς δ' αὖ Τιθωνὸν χρυσόθρονος ἥρπασεν Ἠὼς
ὑμετέρης γενεῆς ἐπιείκελον ἀθανάτοισι.
βῆ δ' ἴμεν αἰτήσουσα κελαινεφέα Κρονίωνα
ἀθάνατόν τ' εἶναι καὶ ζώειν ἤματα πάντα ·
τῇ δὲ Ζεὺς ἐπένευσε καὶ ἐκρήηνεν ἐέλδωρ.
νηπίη, οὐδ' ἐνόησε μετὰ φρεσὶ πότνια Ἠὼς
ἥβην αἰτῆσαι, ξῦσαί τ' ἄπο γῆρας ὀλοιόν. (218–224)

      4) 239–246   Anchises

οὐκ ἂν ἐγώ γε σὲ τοῖον ἐν ἀθανάτοισιν ἑλοίμην
ἀθάνατόν τ' εἶναι καὶ ζώειν ἤματα πάντα.
ἀλλ' εἰ μὲν τοιοῦτος ἐὼν εἶδός τε δέμας τε
ζώοις, ἡμέτερός τε πόσις κεκλημένος εἴης,
οὐκ ἂν ἔπειτά μ' ἄχος πυκινὰς φρένας ἀμφικαλύπτοι.
νῦν δέ σε μὲν τάχα γῆρας ὁμοίιον ἀμφικαλύψει
νηλειές, τό τ' ἔπειτα παρίσταται ἀνθρώποισιν,
οὐλόμενον καματηρόν, ὅ τε στυγέουσι θεοί περ.

C	247–255		Klage Aphrodites über ihr Mißgeschick
B	256–280		Prophezeiung über Aeneas
		257–275	NYMPHENEXCURS

A	281–290	Warnung vor Verletzung des Geheimnisses. Gefahr des Verlustes göttlicher Gunst.

Was aber soll dieser genealogische Teil? Ist er nur Begründung für Vers 200? Oder ist umgekehrt dieser Vers notwendiges Bindemittel, weil dem Dichter in besonderer Weise an diesen Mythen lag?[44] Wozu – so läßt sich weiterfragen – die Schilderung der Dryaden und ihres Wesens?

Ganymed ist der gottgewordene Mensch. Wie die Göttin ist er ohne Tod und Alter (v. 214), in immerwährender Jugend gehört er als Mundschenk zum Festleben der Götter. Die anfängliche Klage des Vaters verwandelt sich in Freude, als er von diesem Los seines Sohnes hört und das göttliche Geschenk erhält. – Umgekehrt folgt auf die anfängliche Freude Leid in der Tithonos-Geschichte. In Ganymed tritt göttliches Leben schlechthin hervor, seine Wandlung aber von Mensch zu Gott bezeichnet den Abstand der beiden Sphären. Alter und Tod sind die Grenzen. Was bei Ganymed Glück, das wird Tragik bei Tithonos. Auch Tithonos wird in den göttlichen Bereich gehoben. Als Mensch war er ἐπιείκελος ἀθανάτοισι (v. 219), doch die ewige Jugend (ἀγήρως v. 214) geht ihm durch die verfehlte Bitte der Göttin verloren[45].

Die ,,vielersehnte, bzw. Sehnsucht erweckende Jugendblüte" dauert nicht, weil Eos zwar für ihn Unsterblichkeit erlangt, aber vergißt, das γῆρας ὀλοιόν von ihm ,,wegzuwischen" (v. 224)[46]. Dann führt der Dichter in drei Stufen das fortschreitende, aber nie zu Ende kommende Alter vor:

1)

τὸν δ' ἦ τοι εἵως μὲν ἔχεν πολυήρατος ἥβη
(v. 225)

2)

αὐτὰρ ἐπεὶ πρῶται πολιαὶ κατέχυντο ἔθειραι
καλῆς ἐκ κεφαλῆς εὐηγενέος τε γενείου
(v. 228–229)[47]

3)

ἀλλ' ὅτε δὴ πάμπαν στυγερὸν κατὰ γῆρας ἔπειγεν
οὐδέ τι κινῆσαι μελέων δύνατ' οὐδ' ἀναεῖραι
(v. 233–234)[48]

---

[44] Oder ist die Erzählung nur Nachwirkung des ,,systematischen Grundcharakters der Hymnendichtung"? Diese Auffassung vertritt *Fränkel*, DuPh 284 f.

[45] Wieweit sich die Endymionsage mit dem Tithonosmythos berührt, ob bereits in der Antike Vergleiche zwischen den ,Lebenslosen' der beiden gezogen wurden, läßt sich von der frühgriechischen Dichtung her nicht entscheiden.

[46] Zu ἀποξῦσαι vgl. I 446; Nostoi fr. VI (Allen).

[47] Zum Motiv ,weiße Haare' als Alterskennzeichen vgl. S. 111 ff.

[48] In der Dreistufenfolge der Symptombeschreibung kommt die Auffassung von der Zeit als dynamischem Phänomen in ihren Ansätzen deutlich zum Ausdruck; vgl. A. 49.

Der körperliche Verfall ohne Ende – Tithonos kann nicht sterben – im Raum des Gegensatzes, der göttlichen Alterslosigkeit, Gegenbild zu Ganymed – ist spekulatives, ins Extrem vorgetriebenes Paradigma. Ohne den geistigen Aspekt im Menschen anzudeuten, lehrt es, daß im Blick auf die Götter und in ihrer Nähe das Alter für den Menschen das größte „kakon" ist. Die Göttin verbirgt es hinter glänzenden Türen (v. 236).

Dem Anchises ist Ganymeds Glück versagt. Obwohl es doch nahegelegen hätte, gibt Aphrodite keinerlei Begründung dafür. Die Möglichkeit, daß Anchises, wenn er so jung und schön, wie er ist, bliebe, wie Ganymed für immer unter den Göttern leben könnte, klingt zwar kurz an (v. 242), wird aber sofort wieder beiseitegeschoben. Anchises bleibt sozusagen ganz Mensch – wenn auch ein durch göttliche Gunst bevorzugter; so kann der Dichter mit den Worten der Aphrodite vorführen, was in seinen Augen bestimmend für das Los der Menschen vor dem Hintergrund der Götterwelt ist: das Greisenalter wird Anchises nicht verschonen, im Gegenteil, es wird ihn schnell umhüllen[49]. An dieser Stelle läßt der Dichter die Göttin mit aller Schärfe das Alter verurteilen in einer ganz mimnermischen Häufung der negativen Prädikate; und ihre Worte implizieren, was sie dann selbst sagt: wie sehr die Götter das Alter verabscheuen (v. 246)[50]! Entscheidend ist: nicht der Mensch klagt hier über das Alter. Eine Göttin spricht. Für Anchises selbst stand (v. 105/6) das Alter offenbar unter einem ganz anderen Aspekt, er wünschte sich ein langes Leben bis ins hohe Alter (s. S. 14). So zeigt sich wieder: wo der Mensch vor dem Gott steht, wird das Alter zur trennenden Grenze und drückenden Last. Ganymed ist die Folie des Glücks, Tithonos diejenige des Unglücks im Bereich der Götter. Als Mensch bleibt Anchises von Ganymed und Tithonos gleich weit entfernt. Vor der Göttin aber ist er der dem Alter Verfallene wie alle Menschen.

Doch berichtet der Dichter des Hymnos nach der mythologischen Reihe von einem anders gearteten, klagelosen Altern und Vergehen: in der Natur, bei den Pflanzen. In den Versen 264 ff. schildert er das Leben der Dryaden in seinem Werden und Vergehen. Das Schicksal der Nymphen ist an ihre Bäume gebunden. Mit ihnen zusammen sind auch sie dem Verfall unterworfen. Das natürliche Vergehen (vv. 268 ff.) aber, das nicht plötzlich in einem Augenblick geschieht – etwa durch einen gewaltsamen Akt der Menschen wie in der Geschichte des Erysichthon –, sondern ein in der Zeit fortschreitender Prozeß ist, entspricht dem

---

[49] Durch die Worte τάχα, ἔπειτα (v. 244 f.) und das futurische ἀμφικαλύψει wird der fortschreitende Altersprozeß hervorgehoben.

[50] Die hier gebrauchte Altersprädikation (νηλειὲς; ὅ τε στυγέουσι θεοί περ) ist sonst kennzeichnend für den Tod (vgl. z. B. Hesiod Th. 765 f.). Gleiches gilt für das – sicher nicht zufällig zweimal gebrauchte – ἀμφικαλύπτειν (vgl. E. Heitsch, Aphroditehymnos, Aeneas und Homer. Sprachliche Untersuchungen zum Homerproblem, Hypomnemata 15, 1965, 25). Tod und Alter sind bezüglich ihrer Prädikate austauschbar. Wenn der Dichter des Hymnus hier das Alter unter Aspekten, die sonst für den Tod kennzeichnend sind, beschreibt, ist anzunehmen, daß er die Frage nach dem Alter sozusagen als Leitmotiv für die Abgrenzung Mensch–Gott angesehen hat.

menschlichen Alter. Nur stellt sich das Vergehen der Dryaden als natürliches dar, das klaglos geschieht[51]. Langes Leben und Sorglosigkeit zeichnen die Dryaden aus. Entspricht das aber nicht wiederum dem Wunsch des Anchises in den vv. 105/6? Zwar gesellen sich Götter zu den Nymphen, aber wie Anchises sind diese von ihnen getrennt durch ihr Absterben[52]; dabei bleibt natürlich unbestritten, daß die Dryaden, die sich von Nektar und Ambrosia ernähren (v. 260), den olympischen Göttern näher stehen als den Menschen. Aber es sei daran erinnert, daß dieselbe Nahrung dem Tithonos nicht helfen konnte (v. 232). Es öffnet sich mit den Dryaden ein ‚Zwischenreich‘, das dem Menschen nach der Vorstellung des Dichters zugänglich ist, ohne daß dabei ‚sentimentalphantastische Züge‘ erforderlich werden[53]. Aeneas soll hier aufwachsen und sogar als Sohn einer Nymphe ausgegeben werden (v. 284 f.). Zugleich ist es paradigmatisch für Anchises, der ja selbst durch seine Verbindung mit der Göttin in deren Nähe gerückt ist.

Von hier aus wird die „Digression" sinnvoll. Wenn der Mensch seinen Blick von den olympischen Göttern zurückwendet auf seine eigene Welt, kann er eine ‚natürliche‘ Ordnung seines Seins erkennen, der sich das Alter und der Tod einordnen. Darin gipfelt die Lehre Aphrodites an den Menschen Anchises[54]. Daraus ließe sich der Aufbau der Rede erklären: Aphrodites Klage über ihr ‚Unglück‘ ist einsichtig, nachdem sich ergeben hat, wie Anchises von seiner Göttin durch das Alter getrennt ist (zu vergleichen: v. 241 – 243 mit 247 ff.), so wie die Erzählung von den Dryaden im zweiten Aeneas-Teil erst nach dem Mittelstück volle Bedeutung gewinnt. Anchises steht zwischen Ganymed und Tithonos. An

---

[51] Weder in v. 269 noch in v. 272 wird eine Klage laut. Der Tod ist nicht der „schlimme Tod".

[52] Zwar wird bei den Dryaden nicht vom Alter gesprochen; in diesem Punkt wirkt ihr Halbgottwesen nach. Doch wird dadurch das Wissen von einem langsamen Werden und Vergehen in der Natur nicht aufgehoben. Die Symptome des Absterbens der Bäume (v. 270) können ohne Schwierigkeit auf das Altern der Menschen übertragen werden. Zu beachten ist besonders die formale Entsprechung zwischen v. 245 und v. 269. Wenn *Schadewaldt* (Lebenszeit 289) in diesem Zusammenhang an η 120 erinnert, so ist zu beachten, daß in der Odyssee gerade die Reifezeit gemeint ist (vgl. Sappho fr. 105 a 1). Diese Vorstellung ist dem Dichter des Aphroditehymnus ganz fremd. Das Altern in der Natur bedeutet für ihn nicht Reife, sondern Vergehen. Der Lebenshöhepunkt wird dagegen mit dem ‚Blühen‘ gleichgesetzt (vgl. A. 98). Zum langen Leben der Dryaden vgl. Ps.–Hes. fr. 171 (Rzach).

[53] Zum ‚Naturgefühl‘ der Verse vgl. *Bernert* RE 16, 2 (1935) 1811 ff.

[54] Zwischen dem Wunsch des Menschen, ins Alter zu kommen, (vgl. v. 103–6) und dem Abscheu der Götter vor dem Alter besteht kein Widerspruch. Der Mensch altert in der Gemeinschaft seiner Umwelt, in der sich Jugend und Alter ergänzen müssen. Vor den Göttern steht derselbe Mensch allein. Für die Frage nach der Bewertung des Greisenalters ist die Beachtung dieses Doppelaspektes fundamental. Denn zitiert man nur, wie *Hohnen* (Altersklage, 35), die Äußerung der Göttin (v. 244 ff.) als Beweis für eine negative Bewertung des Greisenalters, ist nur ein Teilaspekt erfaßt. Von ganz anderer Art ist das Gespräch Achill–Thetis im A der Ilias (vgl. S. 23 ff.). Achill weiß, daß er jung sterben wird. Weder Thetis noch ihr Sohn fassen den Gedanken, Zeus um Unsterblichkeit zu bitten. Auch ein langes Leben bis ins Alter ‚ruhmlos zu Hause zu versitzen‘, ist nicht erstrebenswert, am wenigsten für Achill (vgl. I 410 ff.). Beklagenswert aber wird sein Los, wenn der ‚Ausgleich‘ für den Tod in der Jugend fehlt. Eine solche Alternative stellt sich für Anchises zu keinem Zeitpunkt. Entsprechend ‚problemlos‘ ist sein Wunsch nach einem ruhigen Alter.

deren Schicksalen deutet Aphrodite das eben Geschehene und weist im Mythos von den Dryaden auf eine Möglichkeit, den konstatierten Widerspruch zu umgehen; formal und inhaltlich steht der Hymnos mit dieser Auffassung der Lyrik nahe. Er wird wohl kaum vor dem ausgehenden 7. Jahrhundert entstanden sein[55].

Im Aphrodite- wie im Apollonhymnos wird das Alter zum größten Übel, wenn die menschliche Situation von der der Götter her gesehen wird; anders, wenn der Blick im menschlichen Bereich bleibt. Die Ambivalenz der Wertung tritt zutage, und es zeigt sich, daß die ganz negativen Äußerungen über das Alter immer vom Gegensatz des Göttlichen her, nicht absolut zu verstehen sind. Hesiod hat sogar im „göttlichen Bereich" einen Gegenpol geschaffen. Der Dichter des Aphroditehymnos fand den Gegenpol im Beobachten des Wachsens und Vergehens in der Natur, in die sich der Mensch eingliedert. Von durchgängigem Pessimismus in der Bewertung des Alters kann weder hier noch da gesprochen werden.

---

[55] Der Versuch von *K. Reinhardt* (Zum homerischen Aproditehymnus, Festschr. Snell 1956 = Die Ilias und ihr Dichter, 1961, 507ff.), den Hymnus als ein Huldigungsgedicht an ein kleinasiatisches Herrscherhaus zu verstehen und den Dichter im engsten Zusammenhang mit der Aeneis in der Ilias zu bringen, leidet unter der zu starken Einengung der Interpretation auf diese e i n e Absicht des Dichters. Wenn Reinhardt schreibt (S. 507): „Der Hymnus wird zur Interpretation des Stammbaums, den er voraussetzt" oder (S. 507): „Der Hymnus huldigt zuletzt nicht einem Gott, sondern einem Herrschergeschlecht", so muß dem ergänzend hinzugefügt werden, daß die ganze Rede der Aphrodite offensichtlich auch allgemein paradigmatischen Charakter hat. Die Behauptung, daß der Hamadryadenpassus einfach ein „Preis der Heimat" (S. 520) sei, trifft sicher nicht die volle Bedeutung der Verse. Die Analyse von *E. Heitsch* (Aphroditehymnos, Aeneas und Homer, Hypomnemata 15, 1965) betrifft unsere Interpretation kaum. Wie mir scheint, ist es Heitsch gelungen, nachzuweisen, daß der Aphroditehymnus später als Ilias und Odyssee ist. Auf die These, daß der Dichter der Aeneis im Y der Ilias identisch mit dem Dichter des Aphroditehymnus sei, einzugehen, liegt nicht im Rahmen dieser Arbeit. Ein Terminus ante ist bisher für den Hymnus nicht sicher erwiesen.

B DIE DARSTELLUNG DES GREISENALTERS IN DER DICHTUNG VON HOMER BIS PINDAR

1. DAS HOMERISCHE EPOS

In dem vorangegangenen Kapitel wurde von der Frage ausgegangen, wie der Mensch das Greisenalter vor dem Hintergrund der ewig alterslosen Götter bewertet. Im folgenden soll von dieser Blickrichtung weitgehend abgesehen werden. Gefragt wird, wie der Mensch sich mit seinem Alter bzw. mit dem Altern zu seiner Umwelt stellt und wie diese das Greisenalter sieht und beurteilt. Entsprechend den Überlegungen in der Einleitung sollen dabei die Äußerungen zu diesem Thema in der frühgriechischen Dichtung nach Autoren gesondert interpretiert werden. Aber mit dieser sich zunächst auf die einzelnen Autoren fixierenden Methode, die bei der Interpretation der frühgriechischen Lyrik verhältnismäßig leicht durchgehalten werden kann, stellt sich für die Ilias und Odyssee die Frage, wieweit es legitim ist, die Äußerungen über das Greisenalter in den beiden Epen zu kombinieren. Daß z.B. der greise Nestor der Ilias ein anderer ist als der der Odyssee, ist unbestritten, aber eine andere Frage ist, ob er innerhalb der Ilias als homogene Gestalt aufgefaßt werden darf. Diese ganze Problematik führt zwangsläufig zur „homerischen Frage", mit der sich aber die vorliegende Arbeit nicht auseinandersetzen kann. – Innerhalb der Ilias und innerhalb der Odyssee ergeben sich für das Thema keine grundsätzlich verschiedenen Gesichtspunkte. Dementsprechend werden die beiden Epen in ihren Äußerungen über das Greisenalter gesondert, aber je als Einheit betrachtet[56].

Schadewaldt faßt seine Beobachtungen zur Darstellung des Greisenalters bei Homer in den folgenden Sätzen zusammen: „Nach allem darf für Homer wohl folgendes als ausgemacht gelten: der homerische Mensch weiß zwar, was ein alter Mann ist, er sieht auch, wie die Menschen altern, aber er denkt nicht voraus an sein eigenes Alter[57]. Das Alter mag so trübe und widrig sein, wie es will – und um dies recht zu verstehen denke man daran, wie noch heute der

---

[56] Zur Homeranalyse Stellung zu nehmen, scheint mir kaum ratsam angesichts so eng begrenzter Fragestellungen wie der nach der Darstellung des Greisenalters. Wollte man allerdings den Ergebnissen der Analyse von *P. von der Mühll* (Kritisches Hypomnema zur Ilias, 1952) folgen, der Nestor zwar als eine homogene Gestal ansieht, die jedoch dem um 600 lebenden Umarbeiter der ‚Urilias‘ verdankt wird, müßte zugestanden werden, daß gerade der greise Nestor ein extremes Beispiel für achaisierende Tendenzen einer späteren Zeit wäre.

[57] *Schadewaldt*, Lebenszeit 290.

Bauer auf den Altenteil altert – aber nicht, daß das Alter kommt, gilt als Unheil, sondern „nicht ins Alter kommen", „vor der Zeit sterben"; einem „schnellen Los" unterworfen sein wie Achilleus. Dies ist im Grunde die einfache naturgemäße Auffassung gesunder Völker, wonach es als Gottes Segen gilt, daß es dem Menschen gut gehe und er lange lebe auf Erden." – Der entscheidende Punkt ist für Schadewaldt, daß der homerische Mensch nicht an sein Alter vorausdenkt, die Bewertung des Greisenalters bei Homer also nicht von dem für die frühgriechische Lyrik so typischen Gedanken an die Zukunft belastet ist, was nach seiner Meinung Voraussetzung ist für die pessimistische Einschätzung des Alters nach Homer.

So wichtig und grundlegend auch die Ergebnisse Schadewaldts für Ilias und Odyssee sind, so zielen sie doch in erster Linie auf eine grundsätzliche Unterscheidung zwischen Homer und der frühgriechischen Lyrik. Und so sehr die vorliegende Arbeit gerade in diesem Kapitel auf Schadewaldt basiert, bleibt doch zu fragen, ob und inwieweit auch schon innerhalb der Ilias und innerhalb der Odyssee das Greisenalter differenzierter gesehen wird, als sich aus der vereinfachenden Gegenüberstellung Homer–Lyrik ergibt. Einen „typischen" Alten kennt weder die Ilias noch die Odyssee. Nestor und Priamos sind zwar, wenn man so will, „typische" Vertreter ihrer Altersstufe. Aber gerade auch in ihrem Altsein unterscheiden sie sich wesentlich. Diese und ähnliche Unterschiede sollen im folgenden mehr als bisher berücksichtigt werden. Es werden – besonders im Iliaskapitel – zunächst die sozusagen beiläufigen Zeugnisse zusammengestellt. Anschließend wird gefragt, wie Nestor, Priamos usw. als Einzelpersonen in ihrem Tun und Lassen durch ihr „Altsein" charakterisiert sind.

a) Ilias

Will der Dichter der Ilias eine Gruppe von Menschen in ihrer Gesamtheit bezeichnen, bedient er sich der Formel ἠμὲν νέοι ἠδὲ γέροντες (B 789; I 36; 258), wobei die Frage der Bewertung irrelevant ist; wenn Odysseus (Ξ 85/6) sagt:

οἷσιν ἄρα Ζεὺς
ἐκ νεότητος ἔδωκε καὶ ἐς γῆρας τολυπεύειν

so soll damit das „Lebensganze"[58] bezeichnet werden. Jugend und Alter stehen nebeneinander, ohne daß etwa γῆρας negativ oder νεότης positiv prädiziert werden[59]. Sicherlich läßt sich diese Formel auch aus der frühgriechischen Zeit-

---

[58] Mit dem Wort ‚das Lebensganze', das im folgenden mangels Besserem gebraucht wird, soll die Vorstellung einer postulierten oder vorhandenen Kontinuität des Lebens von der Jugend bis zum Greisenalter bezeichnet werden.
[59] Zur Typologie der Prädikation vgl. S. 111 ff.

auffassung verstehen[60]. Zugleich drückt sich in dieser Formel aus, wie selbstverständlich die verschiedenen Altersstufen zusammengehören.

Wird nach der Stellung der einzelnen Altersstufen zueinander gefragt, so
zeichnet sich das Greisenalter durch das Mehr-Wissen vor allen anderen aus.
Denn „älter sein" heißt ganz selbstverständlich: mehr wissen (T 219; N 355; Φ
440). Zutage tritt die Funktion, die dem alten Menschen aufgrund seines Mehr-
wissens auch im praktischen Leben zukommt, am deutlichsten in der βουλή der
Achaier (z.B. B 53). Eine Schwierigkeit ergibt sich aus der Tatsache, daß offenbar zu der Versammlung der γέροντες bei den Griechen alle βασιλῆες ohne
Rücksicht auf ihr Alter gehören[61]. Eindeutiger ist die Versammlung des trojani-
schen Gegners (Γ 146 ff.). Es sind wirklich nur die Alten, die zwar am Kampf
nicht mehr teilnehmen können, aber als ἀγορηταὶ ἐσθλοί ihre von allen anerkannte Funktion haben[62]. Aber es ist nicht nur der auf Erfahrung gegründete
und in jeder Situation das Richtige erkennende Rat, der das Alter vor allen anderen Lebensstufen auszeichnet. Die „Älteren" sind auch Garanten des Rechtes,
ohne daß sich die beiden Aspekte streng trennen ließen. Denn rechtes Denken
und richtiges Handeln sind identisch[63]. So muß Priamos (Γ 105 ff.) beim Eid
anwesend sein. Sein Alter soll die Beständigkeit des Schwures garantieren, denn
das Alter sieht im Gegensatz zur Jugend nicht nur auf den Augenblick, sondern
bürgt mit seinem weit voraus- und zurückreichenden Blick[64] für Stetigkeit und
Besonnenheit. Bestimmt ist es auch kein Zufall, daß gerade der alte Phoinix dazu
ausgewählt wird, beim Wagenrennen an der Wendemarke als Beobachter zu
fungieren (Ψ 361): ὡς μεμνέῳτο δρόμους καὶ ἀληθείην ἀποείποι. Hinzuweisen ist in diesem Zusammenhang auf die religiöse Funktion, die den alten Menschen zukommt. In der Ilias ziehen die alten Troianerinnen zusammen mit Hekabe zum Athenaheiligtum, um Rettung für die Stadt zu erflehen (X 286 ff. bes.
296). Wenn die älteren Menschen im Kult eine besondere Rolle spielen, wäre
dies nicht ohne Einfluß auf die Stellung des Greisenalters insgesamt[65].

---

[60] Vgl. *Schadewaldt*, Lebenszeit, 290 f. ; zur Zweiteilung des Lebens in Jugend und Alter vgl. *F.
Boll*, Lebensalter, 5 ff.
[61] Zu γέροντες vgl. B 404 ; Δ 344 ; I 70, 89, 422 ; Σ 448 ; T 303, 337. Die Bezeichnung γέροντες ist
in den meisten Fällen, soweit sie die βουλή betreffen, nicht ‚wörtlich' zu verstehen, sondern als
Kennzeichen für eine Institution. Diese Einschränkung gilt nicht für die Formel ἠμὲν νέοι ἠδὲ
γέροντες. Daß allerdings auch in der βουλή den Alten eine besondere Rolle zukommt, wird durch Ξ
110 ff. (vgl. I 53 ff. und Δ 322) belegt.
[62] Zum Zikadenvergleich vgl. A. 39. Die Worte ὄπα λειριόεσσαν ἱεῖσι sind nicht von vornherein
als Formel anzusehen. Die Wirksamkeit der ἀγορηταί soll betont werden, zugleich aber auch die
Tatsache, daß ihre Stimme ‚dünn' geworden ist. Sie gehören nicht mehr zur Gruppe derjenigen, die
als βοὴν ἀγαθοί bezeichnet werden. Zum Gleichnis vgl. *H. Fränkel*, Homerische Gleichnisse,
1921, 83.
[63] Vgl. *Fränkel*, DuPh 90 f.
[64] Zur Formel ἄμα πρόσσω καὶ ὀπίσσω vgl. die verschiedenen Interpretationen von *Fränkel*,
DuPh 532, A. 49 und *Treu*, Von Homer zur Lyrik, 134.
[65] Die Rolle der alten Menschen im Kult ist bisher noch nicht untersucht.

Daß diese besonderen Eigenschaften des Alters in der frühgriechischen Lyrik zunächst fast ganz zurücktreten und erst bei Pindar wieder unter veränderten Aspekten mit neuem Gewicht thematisch werden[66], wird sich kaum allein aus der sich immer mehr differenzierenden Zeitauffassung in der frühgriechischen Dichtung erklären lassen. Eine soziale Ordnung wie die, auf der die ‚homerische' Gesellschaft beruht, kann ohne eine ungebrochene Tradition innerhalb der Abfolge der Geschlechter nicht bestehen. Die Menschen in der Ilias verstehen sich als Glieder innerhalb einer langen Traditionsreihe. Für diese Verbundenheit mit der Vergangenheit ist als Einzelmotiv typisch das σκῆπτρον πατρώϊον, ἄφθιτον αἰεί (B 46 und 186)[67], dessen Geschichte in aller Ausführlichkeit geschildert wird (B 100–109). Als allgemeinster Ausdruck für den Vorrang des Älteren sei O 204 zitiert: οἶσθ' ὡς πρεσβυτέροισιν Ἐρινύες αἰὲν ἕπονται[68]. Die Achtung gegenüber dem Älteren wird durch göttlichen Schutz sanktioniert. Auf diesem Hintergrund erhält der alte Mensch in der Ilias seinen Stellenwert neben den übrigen Altersstufen. Innerhalb dieser Ordnung stehen Jugend und Alter in wechselseitigem Geben und Nehmen nebeneinander, nicht konfliktlos, aber zusammengehörig und gleichgewichtig.

An keiner Stelle in der Ilias äußert oder verhält sich ein Jüngerer abfällig gegenüber einem Älteren[69], im Gegensatz etwa zu den Freiern in der Odyssee, und nirgends klingt in dem Wort γέρων – ob in einem Bericht oder als direkte Anrede gebraucht – eine abfällige Nuance mit. Soll in der Ilias das Handeln eines Kämpfers als schwächlich getadelt werden, so wird er mit einem Weib oder kleinen Kindern verglichen (B 289; H 235; Λ 389; Θ 163); das Bild eines kraftlosen Alten aber taucht in solchem Zusammenhang nicht auf[70].

Wie natürlich das Alter als letzte Lebensstufe erwartet und objektiv gesehen wird, zeigt sich besonders dann, wenn der Mensch, wie z.B. Achill, jung stirbt. Aber gerade am Beispiel des Achill (besonders I 414 ff.) erweist sich, daß das Alter für sich allein genommen[71] so erstrebenswert nicht ist. Ein kurzes ruhmvolles Leben ist dem, was später Pindar ein γῆρας σκοτεινόν nennt, vorzuziehen.

---

[66] S. u. S. 96 ff.

[67] Vgl. T 387.

[68] Daß die alten Menschen besonderen Schutz der Götter genießen, hat vor allem Hesiod betont; dazu vgl. a. S. 42 ff.

[69] Das Verhalten Agamemnons gegenüber Chryses widerspricht dieser Grundregel nicht. Denn Agamemnon verletzt Chryses in seiner Eigenschaft als Priester des Apollon. Diese Funktion ist für die Einschätzung der Gestalt vorrangig, so daß das Alter in seinem Fall für den Ablauf der Ereignisse keine Rolle spielt. Auch der Vorwurf, den Hektor gegen die Gerontes erhebt (O 721 ff.), besonders mit den Worten κακότητι γερόντων, ist kein Tadel, der gegen das Alter sondern gegen die Institution gerichtet ist.

[70] Die Zusammenstellung von Alten, Frauen und Kindern in der Schildbeschreibung (Σ 514 f.) enthält keine abwertende Tendenz.

[71] Für Achill speziell bedeutet das die Alternative:
a) ὤλετο μέν μοι νόστος· ἀτὰρ κλέος ἄφθιτον ἔσται oder
b) ὤλετό μοι κλέος ἐσθλόν, ἐπὶ δηρὸν δέ μοι αἰὼν/ ἔσσεται.

Das läßt sich zwar nicht umkehren, zeigt aber, wie wichtig es ist, bei der Frage nach der Bewertung des Greisenalters immer das Ganze des Lebens und der Umwelt im Auge zu behalten. Denn erst dann wird bei Homer das Greisenalter zum beklagenswerten kakon, wenn es isoliert von den übrigen Altersstufen auf sich allein gestellt ist. Denn so wie die Jugend auf den Rat der Älteren, so sind die Alten auf die Tatkraft der Jüngeren angewiesen; so ruft Nestor im kritischsten Augenblick des Kampfes die Griechen auf (O 661 ff.):

> ἐπὶ δὲ μνήσασθε ἕκαστος
> παίδων ἠδ' ἀλόχων καὶ κτήσιος ἠδὲ τοκήων,
> ἠμὲν ὅτεῳ ζώουσι καὶ ᾧ κατατεθνήκασι ·

Fällt in der Ilias ein junger Krieger, erinnert der Dichter an die verlassenen Eltern. So wenn Simoeisios oder Hippothoos von Aias (Δ 473 ff. und P 300 ff.) getötet werden und die Eltern die θρέπτρα verlieren. Von Phainops heißt es (E 152 ff.):

> βῆ δὲ μετὰ Ξάνθον τε, Θόωνά τε Φαίνοπος υἷε,
> ἄμφω τηλυγέτω, ὃ δὲ τείρετο γήραϊ λυγρῷ,
> υἱὸν δ' οὐ τέκετ' ἄλλον ἐπὶ κτεάτεσσι λιπέσθαι.
> ἔνθ' ὅ γε τοὺς ἐνάριζε, φίλον δ' ἐξαίνυτο θυμὸν
> ἀμφοτέρω, πατέρι δὲ γόον καὶ κήδεα λυγρὰ
> λεῖπ', ἐπεὶ οὐ ζώοντε μάχης ἐκ νοστήσαντε
> δέξατο, χηρωσταὶ δὲ διὰ κτῆσιν δατέοντο.

Das Alter erscheint unter diesem Aspekt, weil dem Vater nach dem Tod seiner Söhne ganz real der Beschützer fehlt und ihm damit nur noch Klagen und Sorgen bleiben. Das Alter, dessen Wert zumindest, was das Epos betrifft, immer nur als ‚Stellenwert' in der Traditionsfolge definiert werden kann, wird zum Übel, wenn die kontinuierliche Abfolge des Geschlechtes durchbrochen ist[72]. Auch für Peleus ist das γῆρας unter diesem Gesichtspunkt στυγερόν (T 334 ff. und Ω 486 ff.)[73]; denn der Sohn kann seine Pflicht gegenüber dem alten Vater nicht erfüllen (Ω 540/2):

> οὐδέ νυ τόν γε
> γηράσκοντα κομίζω, ἐπεὶ μάλα τηλόθι πάτρης
> ἧμαι ἐνὶ Τροίῃ, σέ τε κήδων ἠδὲ σὰ τέκνα.

---

[72] Daraus erklärt sich, daß im Epos die Frage nach der Bewertung des Greisenalters direkt gar nicht gestellt wird. Eine bestimmte Menschengruppe allein ihres Alters wegen in Frage zu stellen, ist für eine Gesellschaft, wie Homer sie beschreibt, nicht denkbar.

[73] Vgl. E 24; Ψ 223 f.; P 28.

Was das in „Praxis" für Peleus bedeutet, ergibt sich aus der besorgten Frage Achills an Odysseus in der Nekyia (λ 494 ff.)[74]. Dieses Motiv ist so vertraut, daß es – allerdings positiv gewendet – im Vergleich auftauchen kann. I 480 ff. sagt Phoinix über Peleus:

> ὁ δέ με πρόφρων ὑπέδεκτο,
> καί μ' ἐφίλησ' ὡς εἴ τε πατὴρ ὃν παῖδα φιλήσῃ
> μοῦνον τηλύγετον πολλοῖσιν ἐπὶ κτεάτεσσι,
> καί μ' ἀφνειὸν ἔθηκε, πολὺν δέ μοι ὤπασε λαόν.

Der Fortbestand des Geschlechtes muß gesichert sein, der alte Vater im Sohn einen Rechtsschützer haben, soll das Alter nicht zum γῆρας στυγερόν werden!

Paradigmatisch kommen die Hauptaspekte, die die Auffassung vom Greisenalter in der Ilias bestimmen, in der Beschreibung der beiden Städte auf dem Achillesschild zum Ausdruck (Σ 490 ff.). In der ersten, im Frieden lebenden Stadt, halten die Gerontes inmitten des Volkes (Σ 497) als Garanten der Tradition ἱερῷ ἐνὶ κύκλῳ Gericht (Σ 503 ff.)[75]. Die Schilderung der zweiten Stadt ist vom Krieg bestimmt, an dem die Alten nicht mehr aktiv teilnehmen können, sondern gerade noch zusammen mit den Frauen und unmündigen Kindern die Stadtmauern bewachen (Σ 514/5). Die Entscheidung liegt bei der Kampfkraft der Jüngeren, auf die sich die übrigen verlassen können. Beiden Altersstufen kommt eine selbstverständliche, ihnen entsprechende Funktion zu. Die Frage nach einer Bewertung wird und braucht nicht gestellt zu werden.

Im Wesentlichen entspricht dieser Einstellung zur Frage „Jugend–Alter", die nach den oben zitierten Stellen als allgemeinverbindlich für die homerische Gesellschaft angesehen werden muß, die direkte Darstellung der in der Ilias agierenden älteren Menschen. – Als Verkörperung des alten Menschen schlechthin in der Ilias wird meistens die Gestalt Nestors angesehen, die am eindrucksvollsten aus dem Kreis der γέροντες hervortritt[76]. Aber erscheint etwa das Alter in der Gestalt des Priamos oder gar des Phoinix nicht unter ganz anderen Aspekten? Zwar trifft für sie alle zu, was oben über die Auffassung des Greisenalters in der Ilias allgemein dargelegt wurde, aber doch jeweils in anderer Ausprägung.

---

[74] Der Schutz, den die Älteren genießen, besteht in diesem Fall nicht in der Hilfe der Götter (s. A. 68), sondern ist abhängig von der Existenz eines Sohnes, der ganz real die Ansprüche seiner Familie durchzusetzen versteht. Daß diesem Schutzbedürfnis und Schutzanspruch der Älteren dem von Frauen und Kleinkindern entspricht, hat *R. Kassel* (Quomodo, quibus locis apud veteres scriptores graecos infantes atque parvuli pueri inducantur, describuntur, commemorantur, 1954) nachgewiesen.

[75] ἱερῷ ἐνὶ κύκλῳ beinhaltet die Vorstellung von Schutz und Unverletzlichkeit (vgl. *P. Wülfing-v. Martitz*, Ἱερός bei Homer und in der älteren griechischen Literatur, Glotta 37, 1960, 272). Beides gilt für die Institution und das Alter der Zugehörigen.

[76] *Schütz*, Astheneia 59 ff. z. B. überträgt fast ausnahmslos die für Nestor als Alten charakteristischen Züge ganz allgemein auf die homerische Gesellschaft.

Νέστωρ, οὗ καὶ πρόσθεν ἀρίστη φαίνετο βουλή (Η 325; Ι 94) ist die Formel, mit der Nestor als der hervorragende Rater vor allen anderen ausgezeichnet wird. In dieser Funktion wird er auch bei seinem ersten Auftreten in der Ilias an zentraler Stelle eingeführt. Achill hat durch seinen Schwur den Streit zur verhängnisvollen Entscheidung gebracht. Da steht Nestor auf (Α 247 ff.). In sechs Versen wird er vorgestellt und zwar so, daß in den beiden ersten Versen allein seine Ratereigenschaft charakterisiert wird. Nestor ist ἡδυεπής[77], er wird nicht etwa König der Pylier, sondern λιγὺς[78] Πυλίων ἀγορητής genannt. Von seiner Zunge fließt die Rede „süßer als der Honig". Ohne daß ein kausaler Zusammenhang hergestellt wird, wird in den nächsten drei Versen Nestors Alter hervorgehoben. Mit der Formel ὅ σφιν ἐὺ φρονέων ἀγορήσατο καὶ μετέειπεν wird zur direkten Rede übergeleitet. Nestor spricht Agamemnon und Achill an, die beide im Rat und in der Schlacht ihre Vorrangstellung haben (v. 258), und fordert sie zum πείθεσθαι auf; beide sind jünger (v. 259). Nestor hat schon mit Stärkeren verkehrt und wurde nicht mißachtet. Zusammen mit den Helden der Vorzeit hat er gekämpft. Aber auch diese mythischen Helden, mit denen sich kein heutiger vergleichen kann, haben auf seinen Rat gehört und sich ihm gefügt (v. 268). So sollen auch Agamemnon und Achill auf ihn hören (v. 269). Das Ziel der Rede ist Πειθώ. Das „süße" gewinnende Sprechen, das in den einführenden Versen als Hauptcharakteristikum für Nestor herausgehoben wurde – kaum eine andere Gestalt in der Ilias wird beim ersten Auftreten so ausführlich in ihrer Eigenart gekennzeichnet – wird nirgends mit dem Alter des Sprechenden in direkten kausalen Zusammenhang gebracht. Der Autoritätsanspruch, der die ganze Rede durchzieht, wird vielmehr dadurch begründet, daß Nestor schon immer, auch in seiner Jugend, der unangefochtene Rater war. Natürlich steigert sich der Autoritätsanspruch durch das Alter und die damit gegebene größere Erfahrung – so besonders in seiner Rede Ι 54 ff. – , aber im ganzen erscheint Nestor bei seinem ersten Auftreten nicht so sehr als der sich auf sein Alter und seine Erfahrung berufende Greis, sondern fast so wie der zeusgeliebte König bei Hesiod, der unabhängig vom Alter immer das Rechte zu sagen und zu tun weiß.

Ebenso exzeptionell ist Nestors Stellung als aktiver Kämpfer. Trotz seines Alters steht er mitten im Kampfgeschehen. So besonders in den Versen Λ 500 ff.: die Schlacht tobt Νέστορά τ' ἀμφὶ μέγαν καὶ ἀρήιον Ἰδομενῆα. Zwar steht Nestor in der Ilias nie in einem direkten Zweikampf, doch ist er es, der den verwun-

---

[77] Das Wort ἡδυεπής kommt in der Ilias nur an dieser Stelle vor. ῾Ηδύ sonst nur in den Formeln ἡδὺ γέλασσαν (Β 270; Δ 378; Φ 508; Ψ 784) oder φίλον καὶ ἡδὺ γένοιτο (Δ 17; Η 387).

[78] λιγύς bezeichnet den durchdringenden, sich durchsetzenden Schallwert der Stimme eines Redners. Das Wort wird sonst als Epitheton für Phorminx (z. B. Ι 186), Wind (z. B. Ψ 215), Geräusch bei Abschießen des Bogens (Δ 125), Peitsche (Λ 532), Vogelschrei (Ξ 290) verwendet. Ein Klageruf kann λιγέως tönen (Τ 5). Die Bedeutung die das Wort als Epitheton für Redner und Herolde hat, ergibt sich am deutlichsten aus Γ 214. Zur Wortbedeutung allgemein vgl. *J. Krapp,* Die akustischen Phänomene in der Ilias, Diss. Mainz 1964.

deten Machaon aus dem Kampfgetümmel rettet. Auch Θ 78 ff. war Nestor zugleich mit den anderen großen Führern in den Kampf gezogen, doch gerät er in
eine mißliche Lage, da eines seiner Pferde von einem Pfeil des Paris getroffen
wurde und der Alte hilflos und verlassen umkommen müßte, wenn nicht Diomedes in letzter Minute Hilfe brächte. Die ersten Worte, die er an ihn richtet,
lauten (v. 102 – 103):

ὦ γέρον, ἦ μάλα δή σε νέοι τείρουσι μαχηταί,
σὴ δὲ βίη λέλυται, χαλεπὸν δέ σε γῆρας ὀπάζει

Die Schwächen des Alters werden nicht verschwiegen. Eigentlich kann ein
Mann in Nestors Alter nicht mehr als „aktiver Kämpfer" antreten[79]. Anders
Nestor. Kaum ist er der größten Gefahr entronnen, wagt er zusammen mit
Diomedes gegen Hektor anzugehen, bis der zeusgesandte Blitz das Unterneh-
men beendet. Nestor rät besonnen zum Rückzug und übernimmt damit wieder
die Rolle des βουληφόρος. Das Außergewöhnliche der Nestorgestalt hat der
Dichter der Dolonie ausgenützt. Er steigert das Motiv des „alten Recken", der
sich von dem Greisenalter nicht unterkriegen läßt (K 79), unermüdlich tätig ist
(K 164 ff.) und sich dann doch wieder auf sein Alter beruft, um ἔλεος (K 176) zu
erwecken – ein Zug, der Nestor sonst völlig fremd ist – so weit, daß dieser ganze
Passus fast als Parodie der sonstigen Darstellung Nestors erscheint.

So ist Nestor nicht nur der hervorragende Rater; seinem Rat entspricht seine
aktive Tatkraft. Er ist ein γέρων besonderer Art. Die positiven Eigenschaften
des Alters, wie sie allgemein anerkannt werden, erscheinen in seiner Gestalt po-
tenziert, die Schwächen in milderem Licht. In der βουλή ist er es, der Alte, der
den anderen vorhalten kann, sie verschwenden die Zeit mit nutzlos-kindischem
Geschwätz (B 336 ff.; vgl. B 435 f.), und der zum Handeln aufruft. Sein Denken
und Raten, das alles durchgehend bedenkt (I 61), führt erst zum Telos (I 56);
und er spricht in vollem Selbstbewußtsein, daß seine Worte beachtet werden (B
360/1; I 61/2; 103/5), wie er überhaupt in der Ratsversammlung die überra-
gende Persönlichkeit ist[80].

Die Schwäche des Alters im Bezug auf die aktive Teilnahme am Kampf tritt
dann zutage, wenn Nestor an seine Jugend zurückdenkt, und seine Erinnerung
mit der Formel εἴθ' ὡς ἡβώοιμι βίη τέ μοι ἔμπεδος εἴη einleitet[81]. Aber das ist
weniger wehmütige Rückschau auf das, was verloren ist, als Ausgangspunkt für
eine Paraenese, in der das Bild der Vorzeit exemplarisch dargestellt wird. Para-

---

[79] Normalerweise werden die älteren Männer nur in einigen von einer Notlage bestimmten Situa-
tionen eingesetzt (vgl. Θ 517 und Σ 515).
[80] Nestor erhebt als erster im Rat seine Stimme (H 324; B 432); Agamemnon ehrt ihn vor allen
anderen (z. B. B 21). Daß Zeus den verderblichen Traum in Gestalt des Nestors zu Agamemnon
schickt, bestätigt auf verhängnisvolle Weise seine hervorragende Stellung unter den Geronten.
[81] Λ 670; vgl. H 132.

deigmata aus der Vergangenheit vorzutragen, steht natürlich einem alten Menschen besonders an, d.h., die Neigung Nestors, immer und bei jeder Gelegenheit auf sie zu verweisen, gehört zu den Zügen, durch die der Dichter indirekt Nestor als den Alten charakterisiert. Doch erschöpft sich darin die poetische Funktion der Paradeigmata genauso wenig wie im Bestreben des Dichters, Geschehnisse, die der Ilias vorausliegen, in das Werk zu integrieren. Sie werden als Mahnung vorgetragen, und ihr paraenetischer Sinn wird von den Hörern verstanden, wenn sie auch nicht unbedingt danach handeln. „Im Jugendwunsch erstehen die Taten der größeren Vergangenheit vor der Gegenwart, zumal in Augenblicken, wo diese drauf und dran scheint, sich selber zu vergessen"[82]. Der Alte ist Garant für die kontinuierliche Verbindung mit der Vergangenheit. Der Autoritätsanspruch, der Nestors Handeln und Reden kennzeichnet und nirgends bestritten wird – seine Ratschläge finden immer Zustimmung, werden freilich nicht immer befolgt – begründet sich also nicht allein auf seiner Eigenschaft als γέρων, sondern auch auf seiner „Persönlichkeit" im ganzen. Wenn ihm Achill die Phiale übergibt (Ψ 615 ff.), ehrt er in ihm nicht nur sein Alter. Nestor vereinigt in sich alle positiven Eigenschaften des Alters, die aber immer scl on, wie es scheint, in ihm angelegt waren. Die Schwächen des Alters kennt er, ohne daß sie ihm allzusehr zusetzen. Nestor wäre nicht, was er ist, ohne sein Alter, aber das Alter könnte nicht diese Funktion haben, die es hat, wenn es einen anderen als Nestor beträfe.

Ganz anders agiert und reagiert Priamos, und in ganz anderer Weise ist seine Person und sein Handeln vom Alter bestimmt. Im Gegensatz zu Nestor greift er vor dem Tod Hektors kaum je aktiv in das Geschehen der Ilias ein. Er kommt zwar, aufgefordert, beim Schwur (Γ 259 ff.) anwesend zu sein, als der einzig mögliche Garant für die Einhaltung des Eides. Doch dem Ausgang des Treffens mit eigenen Augen zuzusehen, erträgt er nicht. Im allgemeinen ist seine Rolle in der Ilias eher passiv (so B 796 ff.), und wenn er einmal im Rat die Initiative ergreift, bleibt das Ausnahme (H 365 ff.). Vor der alles überragenden Gestalt seines Sohnes Hektor tritt er so lange in den Hintergrund, bis dessen Entscheidungskampf gegen Achill herankommt. In diesem Augenblick zeigt sich in der Gestalt des Priamos die ehrfurchtgebietende Größe der hilf- und wehrlosen Schwäche des alten Menschen. Priamos ist sich dieser Situation bewußt und kann sie als Argument in der Mahnrede an Hektor (X 38 ff.) vorbringen:

πρὸς δ' ἐμὲ τὸν δύστηνον ἔτι φρονέοντ' ἐλέησον,
δύσμορον, ὅν ῥα πατὴρ Κρονίδης ἐπὶ γήραος οὐδῷ
αἴσῃ ἐν ἀργαλέῃ φθίσει, κακὰ πόλλ' ἐπιδόντα,
υἱάς τ' ὀλλυμένους ἑλκηθείσας τε θύγατρας,

---

[82] *Schadewaldt*, Lebenszeit 286.

καὶ θαλάμους κεραϊζομένους, καὶ νήπια τέκνα
βαλλόμενα προτὶ γαίῃ ἐν αἰνῇ δηϊοτῆτι,
ἑλκομένας τε νυοὺς ὀλοῇς ὑπὸ χερσὶν ' Αχαιῶν.
αὐτὸν δ' ἂν πύματόν με κύνες πρώτῃσι θύρῃσιν
ὠμησταὶ ἐρύουσιν, ἐπεί κέ τις ὀξέϊ χαλκῷ
τύψας ἠὲ βαλὼν ῥεθέων ἐκ θυμὸν ἕληται,
οὓς τρέφον ἐν μεγάροισι τραπεζῆας θυραωρούς,
οἵ κ' ἐμὸν αἷμα πιόντες ἀλύσσοντες περὶ θυμῷ
κείσοντ' ἐν προθύροισι.

Sein Alter beklagt hier Priamos nicht etwa, sondern die Lage, in die er als Greis durch den Tod Hektors geraten wird. Befehlen kann er nicht, nur – wie Hekabe – bitten, daß sein Sohn sich nicht dem sicher verhängnisvollen Kampf stellt. Bezeichnend für Priamos ist, daß er in dem Augenblick, da er vom Tod Hektors hört (X 407 ff.), mitten aus dem größten Schmerz heraus den Entschluß faßt, selbst Achill gegenüberzutreten, um ihn zu bitten, falls er das Greisenalter achtet (X 418/9). Darin drückt sich sein unerhörter Schmerz aus, daß er, der große König, sich im Schmutz wälzt und jeden einzelnen anfleht (X 416 – 20):

σχέσθε, φίλοι, καί μ' οἶον ἐάσατε κηδόμενοί περ
ἐξελθόντα πόληος ἱκέσθ' ἐπὶ νῆας 'Αχαιῶν,
λίσσωμ' ἀνέρα τοῦτον ἀτάσθαλον ὀβριμοεργόν,
ἤν πως ἡλικίην αἰδέσσεται ἠδ' ἐλεήσῃ
γῆρας. καὶ δέ νυ τῷ γε πατὴρ τοιόσδε τέτυκται

Eine Steigerung der Klage über den Tod des Sohnes ist nicht denkbar. Die ganze Stadt und besonders der alte Priamos bleiben schutzlos. Aber der greise König gibt sich nicht der Klage über sich und sein Alter hin, sondern sieht gerade in seinem Alter eine Möglichkeit, gegenüber Achill zu bestehen.

Denn wenn auch, wie oben gezeigt, das Greisenalter seinen Stellenwert vor allem innerhalb der kontinuierlichen Abfolge der Geschlechter erhält, bleiben, auch wenn diese Verbindung verlorengeht – in diesem Fall durch den Tod Hektors – als entscheidende Macht, die den alten Menschen schützt, Ἔλεος und Αἰδώς (X 419; 206/7; vgl. Φ 74)[83]; gerade in der äußersten Hilflosigkeit findet Priamos Schutz. Unterstrichen wird dies noch dadurch, daß auch der einzige Begleiter bei der nächtlichen Fahrt zu Achill – der eigentlichen Aristie des Priamos – ein alter Mann sein soll (Ω 149; 178). Welchen Sinn kann diese Forderung haben, wenn nicht den, einerseits Achill jeden Vorwand zu gewaltsamer Ent-

---

[83] Vgl. K. Erffa, Αἰδώς und verwandte Begriffe in ihrer Entwicklung von Homer bis Demokrit, Philologus Suppl. 30, 1937 und W. J. Verdenius, Αἰδώς bei Homer, Mnemosyne 12, 1944, 47 ff. und W. Burkert, Zum altgriechischen Mitleidsbegriff, Diss. Erlangen 1955.

gegnung zu nehmen, da für ihn diese beiden Alten keine Gefahr bedeuten, andererseits deren Hilflosigkeit noch deutlicher hervorzuheben und dadurch den Anspruch auf ἔλεος und αἰδώς noch zu erhöhen? Es scheint, daß die nächtliche Fahrt des Priamos und der Mut zu diesem Unternehmen, der selbst Achill verblüfft (Ω 519–21), erst auf diesem Hintergrund in ihrer ganzen Größe hervortreten.

Priamos kann den Anspruch seines Alters im Hinblick auf Achill in dieser Situation aus der Parallele zu Peleus begründen (X 420; 486 ff.). Achill erkennt diesen Anspruch im Gedenken an seinen Vater an, der vielleicht einmal ebenso wie Priamos nur noch die Schwäche des Alters zum Schutz hat (Ω 507 ff.):

> Ὣς φάτο, τῷ δ' ἄρα πατρὸς ὑφ' ἵμερον ὦρσε γόοιο·
> ἁψάμενος δ' ἄρα χειρὸς ἀπώσατο ἦκα γέροντα.
> τὼ δὲ μνησαμένω, ὁ μὲν Ἕκτορος ἀνδροφόνοιο
> κλαῖ' ἀδινὰ προπάροιθε ποδῶν Ἀχιλῆος ἐλυσθείς,
> αὐτὰρ Ἀχιλλεὺς κλαῖεν ἑὸν πατέρ', ἄλλοτε δ' αὖτε
> Πάτροκλον· τῶν δὲ στοναχὴ κατὰ δώματ' ὀρώρει.
> αὐτὰρ ἐπεί ῥα γόοιο τετάρπετο δῖος Ἀχιλλεύς,
> καί οἱ ἀπὸ πραπίδων ἦλθ' ἵμερος ἠδ' ἀπὸ γυίων,
> αὐτίκ' ἀπὸ θρόνου ὦρτο, γέροντα δὲ χειρὸς ἀνίστη,
> οἰκτίρων πολιόν τε κάρη πολιόν τε γένειον,
> καί μιν φωνήσας ἔπεα πτερόεντα προσηύδα·

Mit diesen Versen wird zu der großen Rede Achills übergeleitet, in der er, der in der Blüte der Jugend stehende, dem in tiefste Not geratenen Greis gegenübersteht.

Gut wurde die Gestalt des Priamos von Bowra charakterisiert, der hier direkt zitiert werden soll[84]: „Priam is the old man who has learned not to expect too much out of life but to take things as they come... He has lost his illusions, and the loss has left him gentle. He has only words of kindness and comfort for Helen, and he bears with resignation the loss of most his sons. But he nurses one dear hope in Hector, and his tragedy is that he loses even this. He watches Hector with eager eyes, and he is the first to mark the approach of Achilles which presages his death. Then he tries to dissuade Hector froh fighting him, for he knows well what will happen if Hector is killed, the fall of Troy with all its horrors to young and old. Of course he is unsuccesssful: Hector is killed, and the old man's life is shattered. But then in scenes of immortal beauty his heroic blood urges him to ransom his son's dead body, and though he knows the murderous temper of Achilles he faces the adventure like the old fighter that he is. His gentleness shrinks before the renowned slayer of men and his bloodstained hands (Ω

---

[84] C. M. Bowra, Tradition and Design in the Iliad, 1930, 210 f.

479), but his courage keeps him to his duty, and in the end he gets what he wants. In dignity and peace he goes home and gives orders for the funeral of Hector.
In Priam we have the pathos of old age in man. He is utterly reliant on Hector, but he still has courage and determination." Dem steht die Gestalt des Nestor gegenüber, des kraftvollen, von Schicksalsschlägen verschonten Alten, der eben auf Grund seiner Person und der Gunst der äußeren Umstände auch dem Greisenalter in ganz anderer Weise als Priamos gegenübersteht.

Nicht weniger als Priamos ist Hekabe, die alte Mutter, vom Tode Hektors getroffen. Mit dem ganzen Nachdruck, den sie als Mutter ihrer Bitte geben kann, hat sie den Sohn angefleht in der Stadt zu bleiben, den direkten Kampf mit Achill zu meiden (X 82 ff.):

Ἕκτορ, τέκνον ἐμόν, τάδε τ' αἴδεο καί μ' ἐλέησον
αὐτήν, εἴ ποτέ τοι λαθικηδέα μαζὸν ἐπέσχον
τῶν μνῆσαι, φίλε τέκνον, ἄμυνε δὲ δήϊον ἄνδρα
τείχεος ἐντὸς ἐών, μηδὲ πρόμος ἵστασο τούτῳ,
σχέτλιος· εἴ περ γάρ σε κατακτάνῃ, οὔ σ' ἔτ' ἔγωγε
κλαύσομαι ἐν λεχέεσσι, φίλον θάλος, ὃν τέκον αὐτή,
οὐδ' ἄλοχος πολύδωρος·

Es bleibt ihr nur die Möglichkeit der Bitte. Doch erinnert sie Hektor daran, daß sie den Anspruch erheben kann, von ihm gehört zu werden. Die Liebe der Mutter und das Motiv θρέπτρα ἀποδιδόναι verbinden sich, letzteres freilich nur implizit angesprochen. Doch ihre Bitte bleibt wirkungslos. Umso größer ist ihr Schmerz über den Tod des Sohnes. In ihrem alles übersteigenden Schmerz gibt auch sie sich nicht etwa der Klage über ihre eigene Not hin; der Schmerz drückt sich aus in dem leidenschaftlichen Wunsch nach Rache, die alles menschliche Maß übersteigt (Ω 209 ff.):

τῷ δ' ὥς ποθι Μοῖρα κραταιὴ
γιγνομένῳ ἐπένησε λίνῳ, ὅτε μιν τέκον αὐτή,
ἀργίποδας κύνας ἆσαι ἑῶν ἀπάνευθε τοκήων,
ἀνδρὶ πάρα κρατερῷ, τοῦ ἐγὼ μέσον ἧπαρ ἔχοιμι
ἐσθέμεναι προσφῦσα· τότ' ἂν τιτὰ ἔργα γένοιτο
παιδὸς ἐμοῦ, ἐπεὶ οὔ ἑ κακιζόμενόν γε κατέκτα,
ἀλλὰ πρὸ Τρώων καὶ Τρωϊάδων βαθυκόλπων
ἑσταότ', οὔτε φόβου μεμνημένον οὔτ' ἀλεωρῆς.

Die Klage ist von einem Pathos bestimmt, wie es nur aus dem Mund dieser Mutter kommen kann, die im hohen Alter den größten Verlust ihres Lebens erfahren hat.

Besonders aufschlußreich für die Beurteilung des Greisenalters in der Ilias ist die Gestalt des Phoinix[85]. Phoinix, der fast nie aktiv in das Geschehen eingreift, ist ohne die feste Bindung an Achill nicht denkbar. Er wird als erster genannt von allen, die zu Achill abgesandt werden (I 168) und in seiner Rede (I 434 ff.) zeigt sich am deutlichsten, wie die einzelnen Altersstufen in ihrer Abhängigkeit dargestellt werden. v. 494 f.:

ἀλλὰ σὲ παίδα, θεοῖς ἐπιείκελ' Ἀχιλλεῦ,
ποιεύμην, ἵνα μοί ποτ' ἀεικέα λοιγὸν ἀμύνῃς·

Achill achtet das Alter des Phoinix unter einem ganz anderen Aspekt als das Alter des Priamos, nämlich in subjektivem Sinn, da das Verhältnis Achill–Phoinix fast einer Sohn–Vater-Beziehung gleicht oder, um es allgemeiner zu fassen, auf der persönlichen Bindung zwischen den beiden seit Achills frühester Kindheit basiert. Seine Rede im I beginnt er mit „Tränen in den Augen" (v. 433). Als väterlicher Begleiter folgt der Achill aus Phthia, um ihn zu einem tatkräftigen Mann und guten Redner zu machen (v. 443 μύθων τε ῥητῆρ' ἔμμεναι πρηκτῆρά τε ἔργων). Aber schon früher war Achill als Kind ständig um Phoinix gewesen. Dieses vertraute Verhältnis wollte Phoinix selbst dann nicht aufgeben, wenn ihn dafür ein Gott von seinem Alter befreien und wieder jung machen würde (v. 445-6) – ein überaus wichtiges Motiv für die Bewertung des Greisenalters. Trennen kann sich der Alte auch unabhängig von seiner persönlichen Zuneigung zu Achill von diesem in keinem Fall mehr. Denn was sollte er, der Kinderlose tun, da es außer Achill keinen gibt, der ihm Schutz bieten könnte? Wenn Phoinix an dieser Stelle seine Lebensgeschichte mit etwas ‚Sentiment' erzählt, so tut er das, um seinen persönlichen Anspruch auf Achills Achtung hervorzuheben. Das Motiv θρέπτρα ἀποδιδόναι wird deutlich genug angesprochen (v. 494 – 5). Die eigentliche Paraenese an Achill kann Phoinix nicht an seine eigene Erfahrung anknüpfen. Er erinnert vielmehr an „alte Geschichten" (v. 527 – 8).

Die Erinnerung an die Vergangenheit, das ‚Es-War-Einmal', kennzeichnet den alten Phoinix wie den alten Nestor, nur kann Nestor eben immer aus seiner eigenen Lebensgeschichte Episoden als allgemeine Paraenesen für alle Achäer anführen, während Phoinix seine eigene Vergangenheit nur als verpflichtenden Anspruch gegenüber Achill einsetzen, die als Paraenese gedachte Geschichte aus der Vorzeit aber nur zitieren kann. Das ‚Außerordentliche', für Nestor so charakteristisch, fehlt Phoinix. Umso eindringlicher ist er als alter und zugleich abhängiger Vasall gekennzeichnet. Denn auch das Verhalten Achills gegenüber Phoinix ist bezeichnend. Er kann ihn als Vasallen ernstlich davor warnen, sich auf die Seite Agamemnons zu stellen und sorgt doch gleichzeitig wie ein Sohn für die Bequemlichkeit des Alten.

---

[85] Zur Rolle und Funktion des Phoinix allg. vgl. *D. Lohmann*, Die Komposition der Reden in der Ilias, UaLG 1970, 245 ff.

Nestor und Priamos sind durch Stellung und Persönlichkeit, aber auch durch die äußeren Umstände besonders gekennzeichnet. Obwohl auch das Leben des Phoinix von einem außerordentlichen Schicksal bestimmt ist[86], wird seine Person in der Ilias nicht heroisierend idealisiert[87]. Seine Stellung und sein Handeln, die Reaktion der Umwelt, die Art, wie Achill zu ihm und er zu Achill steht, seine Worte über sich und seine Lage, entsprechen dem, was sich – unabhängig von den ‚heroischen‘ Gestalten Nestor und Priamos – aus den ‚nebenbei‘ geäußerten Feststellungen über das Greisenalter ergeben hatte. In diesen Zeugnissen wird am ehesten die ‚reale‘ Situation der älteren Menschen und die Einschätzung des Alters aus der Zeit deutlich, in der die Ilias ihre eigentliche Gestalt bekam.

b) Odyssee

Die Grundmotive in der Auffassung des Greisenalters, die sich aus der Ilias ergeben haben, gelten auch für die Odyssee, teils identisch, teils weitergeführt, „differenzierter"[88] und durch neu hinzutretende Aspekte verwandelt.

Eine Menschengruppe in ihrer Gesamtheit wird wie in der Ilias durch die Formel νέοι ἠδὲ παλαιοί[89] bezeichnet; betont wird die wichtige Funktion einer ungebrochenen Tradition (z.B δ 60 ff.). Die Freude des Menelaos über die Ankunft des Telemachos wird verglichen mit der Freude eines Vaters, dessen einziger Sohn nach langer Zeit aus der Fremde zurückkehrt (π 15 ff)[90]. Kinderlosigkeit würde dementsprechend bedeuten: ohne Schutz zu sein und ein „schlimmes" Alter zu erfahren. Die Kinder sollen ihre alternden Eltern nicht vernachlässigen. Odysseus hatte in dem letzten Gespräch vor seiner Abreise Penelope besonders auf diese Aufgabe hingewiesen[91]. Ältersein bedeutet Mehr-Wissen[92], wobei allerdings auch ein junger Mensch schon einen Grad an Verständigkeit erreichen kann, der das Gewohnte übersteigt[93]. Aber obwohl dieser

[86] Das ergibt sich aus seiner Lebensbeschreibung I 448 ff.
[87] Analytische Schlüsse wird man daraus nicht ziehen dürfen, doch liegt der Schluß nahe, daß Phoinix in der vorhomerischen Epentradition eine wesentlich geringere Rolle gespielt hat als Nestor.
[88] *Schadewaldt*, Lebenszeit 287.
[89] α 395; δ 720; ϑ 58; vgl. β 29; π 195, 362; ψ 212.
[90] Zur Wiederaufnahme dieses Motives in der Chorlyrik s. u. S. 96 ff.
[91] σ 266 ff.
[92] Z.B. β 16, 188.
[93] Dieser Zug ist – trotz Antilochos – der Ilias fremd. In der Odyssee ist vor allem Telemach Träger dieser außerordentlichen Eigenschaft: γ 124 f., 204 f.; δ 205; η 292 f. Das Motiv ‚Junger Mensch mit einem über seine Altersstufe gereiften Verstand‘ verdichtet sich später zum Topos ‚puer – senex‘. E. *Curtius* (Europäische Literatur und Lateinisches Mittelalter, 1948, 106 ff.) hält den Topos für ein typisches Produkt der Spätantike. Er zitiert aus der griechischen Literatur nur die zwei Odysseestellen (α 297; β 270), um zu zeigen, daß der homerischen Dichtung der Topos fremd sei. Übersehen ist dabei, daß beide Stellen vor der Begegnung mit Mentor liegen. Daß der Topos bei Homer noch nicht ausgebildet ist, soll nicht geleugnet werden, doch sind die zitierten Stellen als Vorstufen anzusehen. Als ausgebildeter Topos ist das Thema spätestens seit dem 5. Jh. vor Chr. überliefert (vgl. Pindar P. IV, 281 f.; Aischylos, Sept. 533; 622; Sophokles fr. 619; fr. 210, 73; Aristoph. fr.

Vorzug im allgemeinen dem Alter zugebilligt wird, gewinnt es dadurch nicht auch jene allgemein anerkannte Autorität, die für die γέϱοντες der Ilias charakteristisch ist. Das Verhalten der Freier, die ausdrücklich und immer wieder als junge Leute bezeichnet werden, gegenüber Halitherses (β 157 ff.) und dem ihnen in der Gestalt eines greisen Bettlers erscheinenden Odysseus ist dafür bezeichnend. In ihrem Kreis zählt nur die Jugend, müssen ja auch ihre Diener wohlgekleidet und jung sein (ο 330/1); und zum Gelächter nur lassen sie den verwandelten Odysseus trotz des Alters, in dem er ihnen erscheint (ο 53 und 81), gegen Iros antreten. Man ist versucht zu sagen, daß sich in der Beschreibung der Freier andeutungsweise das Bild eines in sich geschlossenen Kreises junger Männer (φ 310) zeigt – in diesem Maß und unter diesem Aspekt der Ilias völlig fremd –, für den das Stichwort συνηβᾶν ist, das in der Lyrik so wichtig wird. Das positive Gegenbild ist der Nestorsohn Peisistratos (γ 49 ff.)[94]. Aber die Freier mißachten in ihrer Hybris alles Recht. Zwar finden sie ihre Strafe, und die rechte Ordnung wird wiederhergestellt, aber es zeigt sich doch, wie sehr sie gefährdet ist. Eben darin steht die Odyssee der Welt Hesiods näher als der der Ilias.

Je nachdem diese Ordnung besteht und je nachdem die übrigen Lebensumstände geartet sind, erscheint auch das Alter unter jeweils anderen Aspekten; denn es kann in der Odyssee einerseits als λιπαϱόν, andererseits als στυγεϱόν o.ä. prädiziert werden und zeigt eben darin seine Ambivalenz, die für die Frage nach der Bewertung entscheidend ist. Daß äußere Not und ein besonders ungünstiges Schicksal den Menschen vorzeitig altern lassen, sagt Penelope, an Odysseus denkend, der unerkannt als greiser Bettler vor ihr sitzt (τ 360):

αἶψα γὰϱ ἐν κακότητι βϱοτοὶ καταγηϱάσκουσιν.

Unter diesem Aspekt muß das Alter zum kakon werden[95].

Dagegen kann Menelaos von Nestor sagen (δ 209/11):

ὡς νῦν Νέστοϱι δῶκε διαμπεϱὲς ἤματα πάντα
αὐτὸν μὲν λιπαϱῶς γηϱασκέμεν ἐν μεγάϱοισιν,
υἱέας αὖ πινυτούς τε καὶ ἔγχεσιν εἶναι ἀϱίστους.

---

53). Was in der Spätantike neu hinzukommt, ist eine Verschärfung im Kontrast. Doch ist die Tendenz zur verschärfenden Kontrastierung nicht auf diesen Topos beschränkt, sondern gilt ganz allgemein für die kaiserzeitliche griechische Literatur. Der ganze Fragenkomplex ist jetzt ausgezeichnet behandelt von Ch. *Gnilka*, Aetas Spiritalis, Theophaneia 24, 1972.

[94] Daß der Nestorsohn in dieser Weise stilisiert wird, entspricht der allgemeinen Tendenz in der Odyssee, Vorbilder des ‚geziemenden Verhaltens' innerhalb einer patriarchalischen Gesellschaft zu entwerfen.

[95] Hes. Erga 93 (= τ 360) ist interpoliert.

Das Alter ist in diesem Fall λιπαρόν[96], weil Nestor – im Gegensatz zu Laertes – von keiner Not bedrängt innerhalb einer kontinuierlichen Abfolge der Geschlechter steht, die durch seine Söhne, von denen er geachtet und mit Ehrfurcht behandelt wird und deren Eigenschaften denen des Vaters entsprechen, garantiert ist[97]. Schon in der Eingangsszene des γ zeigt sich das: der souveräne Alte, der im Kreis seiner Söhne und Angehörigen dem Poseidon opfert. Dem entspricht die Schilderung des Lebens im Palast von Pylos (γ 385 ff.; besonders 408 ff.). Das Alter wird als das zur Reifezeit gekommene Leben angesehen[98]. Wenn Schadewaldt schreibt: „Der Odysseedichter blickt auf das Ziel eines behaglichen Lebensabends. Mag ein solcher auch der Ilias im Bilde des Nestors gegenwärtig sein, der den wuchtigen, goldgetriebenen, geohrten, doppelfüßigen Tauben-Pokal mühelos hebt. Die Odyssee erst kennt ein solches wie von Salbe glänzendes Alter mit Namen und kennt es als Segen Gottes, der die menschliche Eudaimonie vollendet",[99] so kann dem im Ganzen nur zugestimmt werden. In einem Punkt aber scheint mir seine Interpretation zu weit zu gehen. Das Märchenmotiv von dem Becher hat mit dem Blick auf den Lebensabend schlechterdings nichts zu tun, und unter welch ganz anderen Aspekten Nestor sich in der Ilias zeigt, mag aus den obigen Ausführungen deutlich geworden sein. Daß das Leben in Pylos und die Nestorgestalt im Sinne einer patriarchalischen Gesellschaftsordnung idealisiert ist, soll nicht bestritten werden. Doch kommt es hier darauf an, daß eine solche Vorstellung, die der Ilias fremd ist, aufkommen kann. In diesem Sinn ist der Nestor in der Odyssee wie in der Ilias – dort eben in anderer Weise idealisiert – für das vorliegende Thema eine wichtige Quelle.

Auch dem Odysseus wird im Gegensatz zu seinem „vielduldenden" früheren Leben (Ψ 285/7) von Teiresias ein γῆραςλιπαρόν[100] prophezeit inmitten seines zufriedenen und glücklichen Volkes (λ 134/7 = Ψ 281/4):

θάνατος δέ τοι ἐξ ἁλὸς αὐτῷ
ἀβληχρὸς μάλα τοῖος ἐλεύσεται, ὅς κέ σε πέφνῃ
γήραι ὕπο λιπαρῷ ἀρημένον, ἀμφὶ δὲ λαοὶ
ὄλβιοι ἔσσονται.

[96] Ob λιπαρὸν in Verbindung mit γῆρας noch seine ursprüngliche Bedeutung („von Öl und Salben glänzend"; vgl. H. Frisk, Griechisches Etymologisches Wörterbuch II, 1970, 126 f.) behalten hat, erscheint wenig wahrscheinlich. Eher ist das Wort im übertragenen Sinn („reich, im Überfluß") zu verstehen.
[97] Zur Wiederaufnahme des Motives in der Chorlyrik s. u. S. 96 ff.
[98] Nur auf dem Hintergrund eines solchen Gedankenzusammenhanges scheint mir die Formulierung ὄγχη ἐπ' ὄγχη γηράσκει (η 120) verständlich. Was der Dichter des Aphroditehymnus über das Altern der Bäume sagt, ist dem nicht nur „fremd" (Schadewaldt, Lebenszeit 287 ff.), sondern geradezu entgegengesetzt. Vgl. A. 52.
[99] Schadewaldt, Lebenszeit 288.
[100] Auch in diesem Fall ist das Wunschbild vom γῆρας λιπαρόν an die Existenz eines Sohnes gebunden; vgl. ν 59 f.; ο 404 ff.

An dieser Stelle ist eine Einzelheit interessant: einerseits ist das Alter λιπαρόν, andererseits entkräftet es (ἀρημένον). Vergleicht man dies mit Σ 434/5 (über Peleus),

ὁ μὲν δὴ γήραϊ λυγρῷ
κεῖται ἐνὶ μεγάροις ἀρημένος,

wird der differenzierte Aspekt, unter dem das Alter in der Odyssee erscheint, deutlich. Zwar entkräftet das Alter, wird aber doch im ganzen als λιπαρόν angesehen. Dem entspricht, daß die Formel τὸ γὰρ γέρας ἐστι γερόντων, aus der Ilias übernommen, in der Odyssee in gänzlich anderem Zusammenhang steht (ω 254/5):

τοιούτῳ δὲ ἔοικας, ἐπεὶ λούσαιτο φάγοι τε,
εὐδέμεναι μαλακῶς· ἡ γὰρ δίκη ἐστὶ γερόντων.

Nicht mehr die Funktion des Alters als Bürge für Wissen und rechten Rat steht dabei im Vordergrund, sondern das selbstgenügsame γῆρας λιπαρόν. Als solches ist es eine natürlich erwünschte Lebensstufe. Besonders charakteristisch für diese Einstellung sind die Worte der Eurykleia. Sie erzählt, wie Odysseus vor dem Zug nach Troia stets dem Zeus opferte. Was aber erbittet er sich dabei? Nicht etwa Kriegsruhm oder dergleichen! Er wünscht vielmehr (τ 368):

ἀρώμενος, εἷος ἵκοιο
γῆράς τε λιπαρὸν θρέψαιό τε φαίδιμον υἱόν·

Dem entspricht, was Telemach zu Mentes-Athene sagt (α 217/8):

ὡς δὴ ἐγώ γ᾽ ὄφελον μάκαρός νύ τευ ἔμμεναι υἱὸς
ἀνέρος, ὃν κτεάτεσσιν ἑοῖς ἔπι γῆρας ἔτετμεν.

Aber in diesen Worten des Telemach muß auch der Gegensatz der realen Situation mitgehört werden. Denn gerade für Telemach und Laertes ist die Kontinuität der Generationsabfolge durch das Ausbleiben des Odysseus durchbrochen. Unter diesem Aspekt tritt in der Gestalt des Laertes plastisch das Greisenalter in seiner Hilflosigkeit zutage. Denn da er nur einen Sohn hat (der wiederum nur einen Sohn hat: π 117 ff.), dieser aber abwesend oder gar tot ist, ist er jeder Stütze beraubt[101]. So ist das Alter für ihn besonders lastend und beschwerlich. Zurückgezogen und isoliert verbringt er auf dem Land ein klägliches Leben (α 188 ff.; λ 187 ff.; ω 226 ff.). Das Unglück hat den Alten mit aller Macht getroffen; der Tod

---

[101] Ähnliches galt für das Schicksal des Peleus; dazu s. o. S. 24.

seiner Frau hat sein Altern beschleunigt (o 351 ff.). Seine Lage verschlechtert
sich noch durch die Abreise des Telemachos (139 ff.). Das sind die Vorbedin-
gungen für die auf „Sentimentalisierung" gestimmte Begegnung Laertes–Odysseus im ω. Der alte, „ehemalige" König wohnt auf seinem Landgütchen, zusammen mit Sklaven, darunter eine alte Sizilianerin, die ihn versorgt (ω 208).
Odysseus erblickt ihn, wie er gerade auf dem Land arbeitet (ω 226–234):

> τὸν δ' οἶον πατέρ' εὗρεν ἐϋκτιμένῃ ἐν ἀλωῇ
> λιστρεύοντα φυτόν· ῥυπόωντα δὲ ἕστο χιτῶνα,
> ῥαπτὸν ἀεικέλιον, περὶ δὲ κνήμῃσι βοείας
> κνημῖδας ῥαπτὰς δέδετο, γραπτῦς ἀλεείνων,
> χειρῖδάς τ' ἐπὶ χερσὶ βάτων ἕνεκ'· αὐτὰρ ὕπερθεν
> αἰγείην κυνέην κεφαλῇ ἔχε, πένθος ἀέξων.
> τὸν δ' ὡς οὖν ἐνόησε πολύτλας δῖος Ὀδυσσεὺς
> γήραϊ τειρόμενον, μέγα δὲ φρεσὶ πένθος ἔχοντα,
> στὰς ἄρ' ὑπὸ βλωθρὴν ὄγχνην κατὰ δάκρυον εἶβεν.

Die Verwahrlosung, die zum Alter hinzukommt, wird detailliert geschildert.
Dementsprechend ist die Reaktion des Odysseus, der den „wohlgepflegten
Garten" dem „ungepflegten Alter" entgegensetzt (v. 244 – 50):

> ὦ γέρον, οὐκ ἀδαημονίη σ' ἔχει ἀμφιπολεύειν
> ὄρχατον, ἀλλ' ἐύ τοι κομιδὴ ἔχει, οὐδέ τι πάμπαν,
> οὐ φυτόν, οὐ συκῆ, οὐκ ἄμπελος, οὐ μὲν ἐλαίη,
> οὐκ ὄγχνη, οὐ πρασιή τοι ἄνευ κομιδῆς κατὰ κῆπον.
> ἄλλο δέ τοι ἐρέω, σὺ δὲ μὴ χόλον ἔνθεο θυμῷ·
> αὐτόν σ' οὐκ ἀγαθὴ κομιδὴ ἔχει, ἀλλ' ἅμα γῆρας
> λυγρὸν ἔχεις αὐχμεῖς τε κακῶς καὶ ἀεικέα ἔσσαι.

Das „Pathos" des Elends steigert der Dichter des ω noch durch die Trugrede des
Odysseus, um in gleichem Maß die Freude der Wiedererkennung zu erhöhen.
Diese Tendenz gipfelt in der Verjüngungsszene des Laertes nach dem Bade. Der
Umschlag vom Elend zum Glück ist vollkommen. Ein γῆρας λιπαρόν auch für
Laertes, man ist versucht zu sagen λιπαρώτατον. Wieweit das von der Ilias ent-
fernt ist, braucht nicht betont zu werden[102].
   Ganz neu gegenüber der Ilias ist, daß in der Odyssee das äußere Erschei-
nungsbild des alten Menschen in Einzelheiten gezeichnet wird, aber doch so,
daß dabei auch diese körperlichen Einzelzüge entweder im Zusammenhang mit

---

[102] In der Übersteigerung der Motive unterscheidet sich die Laertesgestalt nicht nur von dem Nestor der Ilias, sondern auch von dem Nestor, wie er im γ geschildert ist.

dem Thymos gesehen werden oder um eine außerhalb ihrer selbst liegende Wirkung hervorzurufen. Von Laertes heißt es (π 144/5):

> ἀλλὰ στοναχῇ τε γόῳ τε
> ἧσται ὀδυρόμενος, φθινύθει δ᾽ ἀμφ᾽ ὀστεόφι χρώς.

Wenn Athene dem nach Ithaka zurückgekehrten Odysseus die Gestalt eines alten Bettlers gibt (π 273 = ω 157):

> πτωχῷ λευγαλέῳ ἐναλίγκιον ἠδὲ γέροντι[103],

um ihn unkenntlich zu machen, wird die Verwandlung in folgenden Einzelzügen entwickelt[104] (ν 397 – 402):

> ἀλλ᾽ ἄγε σ᾽ ἄγνωστον τεύξω πάντεσσι βροτοῖσιν.
> κάρψω μὲν χρόα καλὸν ἐνὶ γναμπτοῖσι μέλεσσιν,
> ξανθὰς δ᾽ ἐκ κεφαλῆς ὀλέσω τρίχας, ἀμφὶ σὲ λαῖφος
> ἕσσω, ὅ κε στυγέῃσιν ἰδὼν ἄνθρωπος ἔχοντα,
> κνυζώσω δέ τοι ὄσσε πάρος περικαλλέ᾽ ἐόντε,
> ὡς ἂν ἀεικέλιος πᾶσι μνηστῆρσι φανείης
> σῇ τ᾽ ἀλόχῳ καὶ παιδί, τὸν ἐν μεγάροισιν ἔλειπες.

Entsprechend die Rückverwandlung (π 172 – 176):

> ἦ καὶ χρυσείῃ ῥάβδῳ ἐπεμάσσατ᾽ Ἀθήνη.
> φᾶρος μέν οἱ πρῶτον ἐυπλυνὲς ἠδὲ χιτῶνα
> θῆκ᾽ ἀμφὶ στήθεσσι, δέμας δ᾽ ὤφελλε καὶ ἥβην.
> ἂψ δὲ μελαγχροιὴς γένετο, γναθμοὶ δὲ τάνυσθεν,
> κυάνεαι δ᾽ ἐγένοντο ἐθειράδες ἀμφὶ γένειον.[105]

Als charakteristisch für die äußere Erscheinung des alten Menschen in der Odyssee ergeben sich folgende Motive: weiße Haare (Kopf und Bart), bzw. Kahlköpfigkeit (σ 355), ausgedörrte Haut[106], (Runzeln)[107], Trübung der Augen. Dazu kommen die Beobachtungen, daß der Körper vom Alter gebeugt wird (β 16) und

---

[103] Zum folgenden vgl. *Treu*, Von Homer zur Lyrik, 50 ff.

[104] Diese Charakteristik läßt sich nicht zerlegen in Einzelzüge, die Odysseus entweder nur als Bettler oder nur als Alten kennzeichnen. Beide Motive steigern sich gegenseitig. Iros dagegen ist ‚nur‘ Bettler.

[105] Ähnlich ist die Wiederholung der Verjüngung ψ 155 ff.

[106] Zu κάρφειν und der Übertragung der Vorstellung auf den Geist vgl. *H. Troxler*, Sprache und Wortschatz Hesiods, 1964, 167.

[107] Zu κνυζόω vgl. *H. Frisk*, Griechisches Etymologisches Wörterbuch, 1960, 887. Das Motiv ist einzigartig in der frühgriechischen Dichtung.

daß ganz allgemein die Körperkräfte abnehmen. Nur das erste und letzte Motiv sind in der Ilias nachweisbar.

Nicht ohne Bedeutung für die Einschätzung des Greisenalters in der Odyssee ist die Gruppe der alten Diener. Dieser Kreis von Menschen, die Penelope und Odysseus unverbrüchlich die Treue halten, bildet zumindest teilweise ein Gegengewicht zu dem ungeordneten, die Existenz des Hauses bedrohenden Treiben der Freier. Denn von Eurykleia kann mit Recht gesagt werden, daß sie in ihrer Funktion als ταμίη das Haus ganz real ‚bewahrt'. Diese Gruppe – sozusagen zum alten ‚Inventar' des Hauses gehörig – garantiert schon durch ihr Vorhandensein eine gewisse Kontinuität der Hausordnung während der Abwesenheit des Hausherrn. Dabei wird über ihr Altsein direkt kaum gesprochen; die wirklich alte Eurykleia wird nirgends als eine verrunzelte, vom Alter gebeugte Frau vorgestellt. Vor allem aber sprechen oder klagen sie nie selbst über ihr Alter. Zwar erinnern sie sich gerne und oft an die ‚gute alte Zeit', als Odysseus noch in Ithaka war, doch ihr Alter wird dem Hörer meist nur durch Anreden wie μαῖα; ἄντα γεραιέ usw. ins Bewußtsein gebracht.

Doch so wenig auch direkt vom Altsein dieser Personen gesprochen wird, so wichtig ist ihr durch eben dieses Alter geprägtes Verhalten für den Ablauf der epischen Handlung. Beispielhaft ist Rolle und Handeln der Eurykleia. Schon Laertes hatte sie ins Haus gebracht, sie wurde Telemachs Amme (α 428 ff.), dessen Wohlergehen ihr entsprechend noch immer am Herzen liegt; umgekehrt kann Telemachos es wagen, sie in sein Unternehmen, von dem Penelope nichts wissen darf, einzuweihen. An dieser Stelle wird Eurykleia in ihrer Funktion als Bewahrerin des Hauses vorgestellt (β 337 ff.):

ὣς φάν, ὁ δ' ὑψόροφον θάλαμον κατεβήσετο πατρὸς
εὐρύν, ὅθι νητὸς χρυσὸς καὶ χαλκὸς ἔκειτο
ἐσθής τ' ἐν χηλοῖσιν ἅλις τ' εὐῶδες ἔλαιον.
ἐν δὲ πίθοι οἴνοιο παλαιοῦ ἡδυπότοιο
ἕστασαν ἄκρητον θεῖον ποτὸν ἐντὸς ἔχοντες
ἑξείης ποτὶ τοῖχον ἀρηρότες, εἴ ποτ' Ὀδυσσεὺς
οἴκαδε νοστήσειε καὶ ἄλγεα πολλὰ μογήσας.
κληισταὶ δ' ἔπεσαν σανίδες πυκινῶς ἀραρυῖαι
δικλίδες· ἐν δὲ γυνὴ ταμίη νύκτας τε καὶ ἦμαρ
ἔσχ' ‚ἣ πάντ' ἐφύλασσε νόου πολυϊδρείῃσιν,
Εὐρύκλει' Ὦπος θυγάτηρ Πεισηνορίδαο.

Telemach bekommt als erster Zugang zum Innersten des Hauses, wo, von Eurykleia wohlbewacht, die Reichtümer des Odysseus noch unangetastet liegen. Daß diese nun durch Telemach sozusagen aktiviert werden, ist eines der verborgenen Vorzeichen für die Rückkehr des Odysseus. Ebenso ist der Empfang, den die Amme dem heimgekehrten Telemach bereitet (φ 31 ff.), Vorzeichen für die Wiedererkennungsszene. Auch ihre Stellung Penelope gegenüber ist von derselben bescheidenen, aber selbstsicheren Vertrautheit bestimmt. Ohne Furcht kann sie ihren ‚Treuebruch' gestehen, ihn verteidigen und Penelope trösten (δ 742 ff.). Besonders charakteristisch für dieses Dienerin–Herrin-Verhältnis ist die Eingangsszene des ψ. Die von der Freude über die Heimkehr des Odysseus ganz außer sich geratene Alte eilt zu Penelope, um ihr die Nachricht zu überbringen; fast verstolpert sie sich dabei (v. 3):

γούνατα δ᾽ ἐρρώσαντο, πόδες δ᾽ ὑπερικταίνοντο.

Penelope will die Nachricht nicht glauben, ja wird zornig. Eigentlich würde sie – so sagt sie selbst – die Überbringerin dieser ‚Lügennachricht' bestrafen, doch billigt sie Eurykleia Nachsicht zu, da sie ja schon so alt ist (v. 24):

σὲ δὲ τοῦτό γε γῆρας ὀνήσει.

Die verworrene Situation, die Penelope zu ihrer ‚emotionell' überscharfen Reaktion veranlaßt, läßt indirekt auch die Stellung der alten Eurykleia deutlicher erkennen: indirekt nämlich verkehren sich die Rechtspositionen. Penelope ist zwar die Herrin und könnte Eurykleia der ‚Lügennachricht' wegen bestrafen, doch weiß ja die Alte die Wahrheit. Dementsprechend ist der Stimmungsumschwung bei Penelope (v. 32 f):

ἡ δ᾽ ἐχάρη καὶ ἀπὸ λέκτροιο θοροῦσα
γρηὶ περιπλέχθη, βλεφάρων δ᾽ ἀπὸ δάκρυον ἧκεν.

Zwar schenkt sie auch jetzt der alten Amme noch nicht uneingeschränkt ihren Glauben, aber wie in den Szenen mit Telemach ist eine Art von Vorzeichen gesetzt[108].

Ihre eigentliche ‚Aristie' aber bekommt Eurykleia in der Wiedererkennungsszene (τ 335 ff.). Odysseus erbittet von Penelope eine alte Dienerin zum Waschen der Füße (v. 343 ff.):

οὐδέ τί μοι ποδάνιπτρα ποδῶν ἐπιήρανα θυμῷ
γίγνεται· οὐδὲ γυνὴ ποδὸς ἅψεται ἡμετέροιο
τάων, αἵ τοι δῶμα κάτα δρήστειραι ἔασιν,
εἰ μή τις γρηῦς ἔστι παλαιή, κεδνὰ ἰδυῖα,
ἥ τις δὴ τέτληκε τόσα φρεσίν, ὅσσα τ᾽ ἐγώ περ

---

[108] Die kompositionelle Funktion der Dienerschaft hat besonders G. *Ramming* (Die Dienerschaft in der Odyssee, Diss. Erlangen 1973) hervorgehoben.

Wer anders käme für diesen Dienst in Frage als Eurykleia? In Ithaka, wo der
Kreis der jungen Freier den Tag bestimmt, zieht sich der noch unerkannte Odysseus auf die Zuverlässigkeit einer altern Dienerin zurück. Natürlich muß des
Ablaufes der epischen Handlung wegen in dieser Szene eine ältere Person ge-
wählt werden. Doch in dem vorliegenden Zusammenhang interessiert mehr die
Motivation, die Odysseus selber vorbringt: eine junge Dienerin soll es nicht
sein; doch wohl, weil von ihr nur Abschätzigkeit und Hohn zu erwarten wäre.
Wie der Dichter hier Eurykleia die Rolle der einzig Vertrauenswürdigen unter
dem Gesinde überträgt, läßt er sie auch vor und nach dem Entscheidungskampf
aktiv an der Wiederherstellung der alten Ordnung teilnehmen: sie verschließt
die Türen, um die Frauen während des Kampfes fernzuhalten (φ 380 ff.); sie be-
nennt die ungetreuen Dienerinnen (χ 390 ff.); sie und die ‚guten‘ Dienerinnen
helfen bei der Entsühnung und Reinigung des Hauses (χ 480 ff.).

Treue und Zuverlässigkeit werden durch die Gestalt der Eurykleia mehr oder
weniger direkt in Zusammenhang mit dem Alter gebracht. Welcher Realität
diese Vorstellung entspricht, wieweit sie im Sinne einer patriarchalischen Gesellschaft idealisiert ist, soll hier nicht entschieden werden. Weniger pointiert ausgeführt, aber doch in ähnlichem Tenor werden die übrigen älteren Diener geschildert: Eurynome, Eurymedusa, die alte Sizilianerin bei Laertes, der Gärtner Dolios[109]. So gruppiert sich um den heimkehrenden Odysseus ein Kreis von alten
Vertrauten, wozu auch schließlich der alte Hund Argos zu zählen ist[110], deren
Treue zum Hausherrn trotz aller Schwierigkeiten die 20 Jahre der herrenlosen
Zeit überstanden hat und nun endlich belohnt wird.

Allgemein läßt sich für das Epos feststellen, daß die verschiedenen Altersstufen ‚neutral‘ beschrieben werden. Nachdrücklich zu betonen ist, daß der apologetische Ton, der spätestens vom 5. Jh. vor Chr. an bei den Überlegungen zum
Greisenalter in den Vordergrund tritt und in der Περὶ γήρως-Literatur bestimmend wird, im homerischen Epos fehlt. Das ist weitgehend darin begründet,
daß eine Gesellschaft, wie die, welche Homer schildert, durch ihre Struktur eine
Isolation der einzelnen Altersstufen nicht zuläßt[111]. Dieser Aspekt wäre also für
die Bewertung des Greisenalters im homerischen Epos ein nicht weniger wichti-

---

[109] Eurynome: ρ 495 ff.; σ 164 ff.; ψ 151 ff.; ψ 290 ff.
Eurymedusa: η 7 ff.
die alte Sizilianerin: α 191 ff.
Dolios: δ 735 ff.
Aigyptios (β 15 ff.) und Halitherses (β 157 ff.) gehören, obwohl sie keine Diener sind, zu diesem
Kreis. Vgl. auch die ‚treue Müllerin‘ υ 105 ff.
[110] ρ 291 ff.
[111] Für Platons Kephalos z. B. ist allein die ethische Grundhaltung und die individuelle Lebens-
führung (τρόπος τῶν ἀνθρώπων Plat. ResP. 329 d) dafür verantwortlich, wie das Alter erfahren
wird. Diese Tendenz (vgl. Cic., de senec. 3, 7: in moribus est culpa, non in aetate) bestimmt die
ganze spätere περὶ – Γήρως – Literatur.

ges Kriterium als der Umstand, daß die Zeit noch nicht als dynamischer Prozeß begriffen wird.

In der Ilias wird das Motiv Greisenalter für die Handlung nicht thematisch. Allgemein gelten die Alten als Garanten für Ordnung, Recht und besonnenen Rat. Ihnen fehlt die Tatkraft der Jugend, deren selbstverständliche Aufgabe das θρέπτρα ἀποδιδόναι ist. Das positive Extrem verkörpert Nestor mit seinen Rater- und Mahnereigenschaften, die ihre Pointierung allerdings der herausgehobenen Stellung, wie sie wohl durch die epische Tradition bedingt war, und der allgemein hohen Bewertung gerade dieser Gestalt in der Ilias verdanken. Priamos verkörpert die Gegenposition. Negativ zeigt sich aber das Alter für ihn vor allem deswegen, weil er durch die besonderen äußeren Umstände in die Krisis gerät. Die Gefahr, durch unglückliche Ereignisse in Not zu geraten, besteht natürlich für alle Altersstufen, nur ist das Alter ihr gegenüber besonders anfällig. In der Gestalt des Phoinix drückt sich eine überraschende ‚Bejahung‘ des Alters als einer Lebensstufe aus, deren ‚Wert‘ nicht bezweifelt wird.

In der Odyssee läßt sich bezüglich der Beurteilung des Alters, wenn auch die Grundmotive gleich bleiben, eine gewisse Verschiebung erkennen, die sich wohl kaum nur aus der Verschiedenheit der Themen erklären läßt. Man verlacht das Alter – so die Freier. Auf der anderen Seite wird es entheroisiert, erhält aber dafür andere, ‚angenehme‘ Eigenschaften: es wird λιπαρόν. Nestor ist vom aktiv wirkenden, überall bestimmenden Greis zu einem alten Mann geworden, der sein Alter ruhig genießt. Auch in der Person des Laertes vollzieht sich im Vergleich zu Priamos eine Verschiebung. Bei äußerlich ähnlichem Schicksal ist die ehrfurchtgebietende Hilflosigkeit des Priamos zur kläglichen, isolierten Lebensnot geworden, in der sich der Vater des Odysseus befindet. Der alte Bettler, in dessen Gestalt Odysseus auftritt, wird vom Übermut der jungen Freier zur lächerlichen Person abgestempelt. Anmaßung der Freier – ein Alter ohne aktive Tätigkeit, da es entweder selbstgefällig genossen oder in ein Nebendasein abgedrängt wird, sind die beiden Pole, die sich als Symptome desselben Phänomens erweisen: die einzelnen Altersstufen streben auseinander.

Die nicht zu leugnende Idealisierung, die das Bild der alten treuen Diener mitbestimmt und die als Ablösung für die Entheroisierung des alten Nestor verstanden werden kann, verweist indirekt auf die schwachen Stellen der vom Odysseedichter geschilderten Welt. Deutlicher wird dasselbe von Hesiod beschrieben.

2. HESIOD

In welcher Weise bei Hesiod das Alter in seiner Ambivalenz dargestellt wird, hat sich bei der Interpretation der Nereuspassage gezeigt. Die aus dieser Interpretation gewonnenen Ergebnisse werden bestätigt durch die übrigen Äußerungen Hesiods zu diesem Thema. Es hat sich in Kap. A ergeben, daß der positive und negative Aspekt des Alters getrennt sich in Γῆρας οὐλόμενον und Νηρεὺς γέρων gegenüberstehen (s. S. 6 ff.). Ihr komplexes und gegenläufiges Wirken[112] innerhalb der menschlichen Welt tritt in den Erga zutage, wobei der negative Aspekt – mythisch: Alter als Tochter der Nacht – in den Vordergrund rückt. Das gilt besonders für den Weltalter-Mythos (Erga 109 ff.), in dem das Altersmotiv eine wichtige Rolle spielt.

Nur unter diesem Gesichtspunkt soll der Weltalter-Mythos betrachtet werden, ohne daß auf die Gesamtproblematik dieser Verse eingegangen noch eine durchgehende Interpretation gegeben wird. Diese Beschränkung erscheint legitim, weil der ganze, mit dem Weltalter-Mythos zusammenhängende Fragenkomplex jüngst von Gatz[113] zum Thema einer umfassenden Untersuchung gemacht wurde, in der auch die ganze wissenschaftliche Literatur diskutiert wird. Was diese Arbeit für die spezielle Frage nach der Stellung des Alters ergibt, wird von Fall zu Fall angemerkt.

Das goldene Geschlecht lebt wie die Götter: ἀκηδέα θυμὸν ἔχοντες (v. 112); das impliziert, daß dies Geschlecht ohne Mühen und Elend lebt (v. 113; vgl. v. 91) und das Alter überhaupt nicht kennt (v. 113). Daher, so faßt Hesiod in Vers 115 zusammen, können die Menschen ein ungetrübtes Leben in immerwährenden Festesfreuden führen. Entsprechend der bekannten Formel also ist das Geschlecht ἀγήραον, ohne freilich zugleich ἀθάνατον zu sein. Aber auch der Tod ist ohne Schrecken, denn er kommt leicht wie der Schlaf. Daß das Alter ausschließlich unter dem Aspekt des körperlichen Verfalls gesehen wird, zeigt die positive Gegensetzung: αἰεὶ δὲ πόδας καὶ χεῖρας ὁμοῖοι (v. 114). Dies zu berücksichtigen ist wichtig, denn wenn γῆρας in Vers 113 durch δειλόν prädiziert wird, so trifft dieses Prädikat nur einen sehr speziellen Aspekt des Alters. Unter diesem Aspekt gehört γῆρας, wie πόνοι und ὀιζύς (v. 113) zu den κακά, die dem goldenen Geschlecht fremd sind (v. 115).

Bei der Schilderung des silbernen Geschlechtes[114] fehlt zwar das γῆρας-Motiv, dafür wird das Gegenmotiv Kindheit in den Vordergrund geschoben: die Menschen bleiben 100 Jahre Kleinkinder. Wenn sie die Reife der Jugend erreichen (μέτρον ἥβης), verfallen sie der Hybris. Mit dieser Altersstufe wird das Geschlecht sistiert (παυρίδιον ζώεσκον ἐπὶ χρόνον v. 133). Während das goldene Geschlecht alterslos, d.h. in unveränderlicher Jugend bis zum Tod ohne irgendeine Trübung seines Glückes lebt und eben darin göttergleich ist, steht die

---

[112] Die Vermischung einer horizontalen und vertikalen Weltordnung in der Theogonie und dem Anfang der Erga bedingt gewisse Schwierigkeiten für die Frage nach der ‚Bewertung‘ des Greisenalters bei Hesiod. Denn die beiden Aspekte, die in der Theogonie paradigmatisch getrennt sind, erscheinen in der Erga je nach den Umständen in ihrer Wirksamkeit verschieden. Zu fragen ist in jedem Fall, welcher Aspekt im Vordergrund steht.
[113] *Gatz*, Weltalter.
[114] *Gatz*, Weltalter 40 ff.

Jugend im silbernen Geschlecht unter dem Aspekt der Hybris und wird verurteilt. Diese Gegensätzlichkeit des Erscheinungsbildes einer Altersstufe in den beiden Geschlechtern ist möglich, weil die Blickrichtung jeweils eine andere ist: im goldenen Geschlecht steht der körperliche, im silbernen der ethische Aspekt im Vordergrund. Paradigmatisch zugespitzt entspricht diese Gegenüberstellung der Nachteile von Jugend und Alter dem, was schon im homerischen Epos formuliert wurde.

Im ehernen Geschlecht ist die Hybris an keine Altersstufe mehr gebunden. Zum Alter scheinen die Menschen nicht mehr kommen zu können, da sie sich vorher gegenseitig umbringen (v. 152/3). Für das Heroengeschlecht spielt das γῆρας-Motiv bei der Schilderung der Inseln der Seligen nur insofern eine Rolle, als mit ἀκηδέα θυμὸν ἔχοντες (v. 170) direkt auf v. 112 zurückgegriffen wird und dieses Motiv: ,,ohne Kummer im Herzen" dort durch Alterslosigkeit usw. definiert wird. Bis zu diesem Punkt also wird vom Alter nur als von einem nicht eingetretenen oder nie eintretenden gesprochen. Erst für das 5. Geschlecht (v. 174 ff.) wird dasselbe Motiv mit umgekehrtem Vorzeichen zum Charakteristikum: die ,,natürliche Lebensordnung" unter den Menschen löst sich auf (v. 185 – 188):

αἶψα δὲ γηράσκοντας ἀτιμήσουσι τοκῆας·
μέμψονται δ' ἄρα τοὺς χαλεποῖς βάζοντες ἔπεσσι,
σχέτλιοι οὐδὲ θεῶν ὄπιν εἰδότες, οὐδέ κεν οἵ γε
γηράντεσσι τοκεῦσιν ἀπὸ θρεπτήρια δοῖεν

Die Kinder versagen rasch den Eltern die gebotene τιμή. Die Ausführlichkeit, mit der Hesiod gerade dieses Motiv ausführt, zeigt, welche Rolle für ihn die Frage nach dem rechten Verhalten von Jugend zum Alter spielt. Man wird daher mit einigem Recht annehmen können, daß in den Übeln aus der Pandorageschichte, die im Pithos eingesperrt waren (v. 94 f.), auch das Greisenalter eingeschlossen ist[115]. In keinem der orientalischen Parallelmythen, die Gatz anführt,

[115] *F. Krafft* (Vergleichende Untersuchungen zu Homer und Hesiod, Hypomnemata 6, 1963) hat versucht, dem Pithos seine Schrecken zu nehmen. Er behauptet, daß der Pithos das große Vorratsfaß eines Bauern sei, das keinerlei Übel enthalte (S. 108), und erklärt das Verbleiben der Elpis im Faß mit den Worten (S. 110): ,,Elpis gehört zu den (Vorrats)Gütern. Sie ist nur insofern etwas anderes, als sie nach dem Willen des Zeus im Faß bleibt, also sozusagen die Vorräte ersetzt". Mit νόσοι in v. 92 sind nach Krafft nicht Krankheiten, sondern allgemein ,,Plagen" gemeint. Als Schlußfolgerung ergibt sich für Krafft, daß für die Verschlechterung der einzelnen Weltalter der zunehmende Biosmangel einzige von Zeus verursachte Strafe sei. Diese Einengung des Weltaltermythos auf ein Strafmotiv widerspricht aber offenbar dem Gedanken Hesiods. Im einzelnen ist zu bemerken: a) unmöglich kann man in v. 95 zu ἐσκέδασε das Wort βίου aus v. 42 ergänzen. Vielmehr kann das Objekt zu ἐσκέδασε nur aus den v. 90ff. erschlossen werden, d. h. κακά, πόνον, νόσους! Die kaka waren eben doch im Pithos, der keineswegs ein Vorratsgefäß von Gütern ist. b) Die von Krafft als Vergleich her-

spielt dieses Motiv eine so hervorragende Rolle. Dem Alter wird in einer Welt, in der der Stärkere rücksichtslos auf seinen Vorteil bedacht ist und mit allen Mitteln den Schwächeren zu vergewaltigen sucht, verweigert, was bei Homer und sonst bei Hesiod sein natürliches Recht ist. So flieht zusammen mit Nemesis auch Aidos aus der Welt, die Macht, die im homerischen Epos (s.S. 28 ff.) das entscheidende Regulativ für das Verhältnis Jugend–Alter ist. Der alte Mensch, der im 5. Geschlecht lebt, wird nicht in seiner körperlichen Hilflosigkeit gezeigt; er ist vielmehr verraten und verkauft, weil sich die ethischen Bindungen auflösen. Umso schlimmer muß das Alter werden: ein γῆρας οὐλόμενον. Aber gerade dies Alter, das vom 5. Geschlecht eine so radikale Mißachtung erfährt, wird den Menschen einst zum Anzeichen des nahenden Unterganges werden, dann, wenn es, immer weiter nach vorn rückend, schon den Neugeborenen ergreift (v. 181)[116]. Das Greisenalter, die Schwelle zum Tod, wird Schwelle zum Untergang des ganzen Geschlechts.

Aber diese Apokalypse liegt in der Zukunft, und auch die Degenerationsmotive sind futurisch ausgesagt. Die ganze Schilderung des eisernen Geschlechtes ist als halb schon eingetreten, halb zukünftig gedacht. Die Realität des zwischenzeitlichen Jetzt, in dem Hesiod lebt, tritt in deutlicher Anlehnung an die Perversionsmotive des 5. Geschlechtes in den Versen 320 ff. hervor[117]. In dieser

angezogenen Verse Erga 373–4 sind nur bedingt parallel. In v. 373 geht es um die reale Frau, die πυγοστόλος ist und dadurch Gefahr für die Habe bedeutet. In der Pandorageschichte aber geht es Hesiod wie im Weltaltermythos um die generelle Frage nach der Entstehung des Übels in der Welt überhaupt. c) Kraffts Deutung der Elpis als einzigem Gut, das die Menschen vor der Verzweiflung rettet, läßt die Ambivalenz des Begriffes in der frühgriechischen Dichtung völlig außer Acht. d) Es kann nicht völlig ausgeschlossen werden, daß νόσος schon bei Hesiod übertragen gebraucht sein könnte, obwohl der einzige Beleg, den Krafft für eine solche Bedeutung aus der frühen Dichtung zitiert, nämlich o 407 f., nicht schlagend ist. Doch ist nicht einzusehen, warum νόσοι in v. 92 nicht Krankheiten sein sollen, besonders wenn man bedenkt, daß der Relativsatz αἵ τ' ἄνδρασι κῆρας ἔδωκαν folgt. Es ist also im Gegensatz zu Krafft anzunehmen, daß für Hesiod zu den ursprünglichen Übeln in der Welt neben dem Umstand, daß der Lebensunterhalt erarbeitet werden muß, auch Alter, Krankheit, und Tod gehören. Zur ganzen Frage vgl. *J. Blusch*, Form und Inhalt von Hesiods individuellem Denken, 1970, 85 ff. und bes. 124 A. 280.

[116] Es ist ein besonderes Verdienst von Gatz, daß er die Frage nach der inhaltlichen Bedeutung von v. 181 durch Vergleiche mit orientalischen Parallelmythen endgültig geklärt hat (*Gatz*, Weltalter, 21 ff.). Es handelt sich um ein uraltes, rein physisch zu verstehendes Degenerationsmotiv. Auch der Hinweis (*Gatz*, Weltalter 40), daß v. 181 eine Umkehrung gegenüber dem goldenen Geschlecht darstellt, ist zutreffend (vgl. *H. Diller*, Die dichterische Form von Hesiods Erga, Abh. Mainz, 1962, 40 f.); darüber hinaus wird v. 181 wohl auch in bewußtem Gegensatz zur Charakterisierung des silbernen Geschlechtes stehen (vgl. *Fränkel* DuPh 134).

[117] Zur Parallelität der v. 174 ff. und 320 ff., bes. 331 f.:
ὅς τε γονῆα γέροντα κακῷ ἐπὶ γήραος οὐδῷ
νεικείῃ χαλεποῖσι καθαπτόμενος ἐπέεσσιν˙
vgl. *U. v. Wilamowitz-Moellendorff*, Hesiods Erga, 1928, zu v. 327. Die Bedeutung der Formel ἐπὶ γήραος οὐδῷ ist weder hier noch im homerischen Epos (X, 60; Ω 489; o 246 und 348) eindeutig festzulegen. Entweder bedeutet οὐδός in dieser Formel „Schwelle des Greisenalters, über die man ins Alter eintritt" oder „Schwelle des Greisenalters, d. h. Schwelle, die den Eingang zum Tod bildet"; (vgl. *W. Leaf*, The Iliad, 1902, zu X 60).

Versreihe steht das Motiv, daß die Kinder die alten Eltern nicht gebührend behandeln, am Abschluß der Reihe. Daß dabei die ὀρφανὰ τέκνα neben dem γονεὺς γέρων stehen, ist kaum zufällig. Denn beide Altersstufen sind isoliert und außerhalb einer festen Verbindung mit den übrigen Altersstufen vollkommen hilflos. Durch die Isolation wird das Alter zum κακόν (v. 331). Positiv aber gewinnt das Alter in diesen Versen seinen Stellenwert in der Welt nicht aus sich selbst heraus (es wird also nicht auf das Erfahrungsmotiv rekurriert), sondern insofern es zu der von Zeus garantierten Lebensordnung gehört. Es steht unter seinem Schutz. Darin liegt ein Unterschied zur Schilderung der Endzeit im Weltalter-Mythos. In den Versen 320 ff. ist nicht diese Endzeit, sondern die reale Situation der Gegenwart angesprochen. Das Alter steht in der Vorstellung Hesiods noch innerhalb einer festen, von den Göttern durch Belohnung und Strafe garantierten Ordnung. Wird diese verletzt, so wird das Alter wie bei Homer zum Übel. Aber die Übertretungen der von Zeus gegebenen Gesetze sind Einzelfälle und werden bestraft.

Innerhalb dieses Horizontes kann das Alter als durchaus positives und erwünschtes Lebensziel erscheinen: in den Versen 376 – 378 empfiehlt Hesiod dem Bauern, nur ein Kind aufzuziehen, um den Wohlstand zu sichern. Diesem Erben soll ein Leben bis ins hohe Alter hinein beschieden sein, und auch er möge wiederum nur einen Erben zurücklassen. In diesem kurzen Passus tritt deutlich die Vorstellung der Konstanz einer Lebensordnung hervor, die kontinuierlich nur dann bestehen kann, wenn auch dem Alter in ihr eine positive Rolle zugeordnet ist. Das negative Korrelat zu den eben zitierten Erga-Versen ist Th. 603 ff.[118]: Wer sich nicht verheiratet, dem fehlt die Erbe, der sein Lebenswerk übernehmen und als γηροκόμος[119] die Sorge für den Alternden übernehmen könnte, und so wird das Alter für ihn sogleich ὀλοόν! – Daß eine schlechte Frau die Ursache verfrühten Alters für den Mann werden kann (Erga v. 704 f.)[120], ist die typisch hesiodeische Ausprägung eines alten epischen Motivs (s.S. 34).

Hingewiesen sei noch auf eine Stelle, die das äußere Erscheinungsbild des alten Menschen betrifft. Bei der Schilderung des Winters (Erga 504 ff.) spricht Hesiod davon, wie der thrakische Nordwind erbarmungslos die Felle der Tiere mit seiner Kälte durchdringt. Nur das dichte Fell des Schafes widersteht ihm. Den alten Menschen aber macht er τροχαλόν (v. 518), während das junge Mädchen wohlgeschützt im Hause vor ihm geborgen ist. Mag die Frage nach der Bedeu-

---

[118] Ein zwingender Grund, vom Motiv her die Echtheit der Verse zu bezweifeln, besteht nicht. Die Frau ist in jedem Fall ein Übel, das auch dann, wenn der Mann nicht verheiratet ist, besteht; vgl. M. L. West, Hesiod, Theogony 1966, 333 ff. und W. Marg, Hesiod, Sämtliche Werke, 1971, 240 ff.

[119] γηροκόμος erstmalig an dieser Stelle belegt. Das Wort ist abgeleitet von Formeln wie z. B. Ω 541 (γηράσκοντα κομίζω).

[120] Zu beachten ist die Komposition der Versgruppe 695–705. Der Komplex beginnt mit ὡραῖος und endet mit einem ausgesprochenen ἀνώριον: γῆρας ὠμόν; vgl. W. Nicolai, Hesiods Erga, Beobachtungen zum Aufbau, 1964, 135 f.

tung von τροχαλόν (hurtig oder gebeugt) auch nicht zu entscheiden sein, es bleibt in jedem Fall das Bild des hilflosen Greises im Wintersturm, wie es hier zum ersten Mal gezeichnet ist[121].

Allgemein für die hesiodeischen Äußerungen zum Alter bestätigt sich zunächst die These Schadewaldts, daß im Epos die Einstellung zum Greisenalter davon mitbestimmt ist, daß die Zeit nicht als dynamisch fortschreitender Prozeß verstanden ist. Hesiod spricht vom Alter, nicht vom Altern, wie ja auch die Vorstellung von einer Personifikation der „Zeit" bei ihm fremd ist. Doch hat sich auch gezeigt, daß die für diese Einstellung relevanten Komponenten komplexer sind, als daß sie allein aus dieser besonderen Zeitauffassung erklärt werden könnten. Als zusätzliche Kriterien müssen berücksichtigt werden:

1. Welcher Aspekt steht im Vordergrund? Der Vergleich mit den „ewig jungen Göttern" oder die Frage, wie der Alte in der menschlichen Gesellschaft steht

2. Inwieweit wird das Alter isoliert oder innerhalb einer kontinuierlichen Lebensordnung gesehen?

3. Wird das Alter innerhalb einer solchen Lebensordnung gesehen, hängt seine Stellung davon ab, wieweit die von Hesiod geforderten ethischen Normen, die das Verhalten der Generationen zueinander bestimmen, vom Einzelnen beachtet werden. Gerade dieser Punkt wird von Hesiod hervorgehoben. Daß die Stellung des alten Menschen in besonderer Weise von der Beziehung zur nächsten Generation abhängt, gilt auch für die von Homer geschilderte Welt. Doch ist gegenüber Hesiod eine nicht unwichtige Verschiebung zu bemerken. Während bei Homer z.B. durch den Tod des Sohnes die alternden Eltern ohne Schutz sind (s.S. 24 ff.), steht für Hesiod die Verletzung der Rechtsordnung im Vordergrund, d.h. das Fehlverhalten der Jüngeren gegenüber den Alten.

---

[121] *U. v. Wilamowitz-Moellendorff* (Hesiods Erga, 1928, zu v. 518) schreibt: „Seltsam ist der Greis hier eingeschoben, nicht einmal im Gegensatz zu dem Mädchen. Τροχαλός kann rund (gebeugt) und hurtig sein, daher schwankt die antike Erklärung. Da der gebeugte Greis v. 533 zu einer Vergleichung dient, muß er hier laufen, um nicht zu erstarren". *Sinclair* (Hesiod, Works and Days, 1932, zu v. 518) schließt sich dieser Deutung an. Die Frage nach der Bedeutung von τροχαλός läßt sich von der Etymologie her nicht entscheiden. Aber daß in v. 534 ff. der „gebeugte Greis zu einer Vergleichung dient", ist kein Argument gegen die Annahme, daß τροχαλόν in v. 518 ‚gebeugt' heißen kann. Überhaupt ist zu fragen, wie das Verhältnis von v. 518 zu den v. 534 ff. zu beurteilen ist. Daß in v. 518 der Greis in Gegensatz zu dem im Haus wohlbehüteten und dem Wintersturm entzogenen Mädchen konzipiert ist, wird man trotz des Verdiktes von Wilamowitz nicht leugnen können. Dann aber ist nicht einzusehen, warum nicht das Bild des zusammengekrümmten Greises dem des zarten Mädchens entgegengestellt sein soll. Eine vermittelnde Stellung in dieser Diskussion vertritt *A. Colonna*, Esiodo, Le Opere e i Giorni, 1969, 140. Daß der gebeugte Rücken zu den Alterssymptomen gehört, ist durch β 16 belegt (Halitherses vom Alter gebeugt).

3. ALKMAN

Das hell wie die Sonne strahlende Licht der Jugend, das frühlingshafte Blühen[122], der eroserfüllte und eroserweckende Glanz der jungen Mädchen kennzeichnet die Feste, für die Alkman dichtet. Es wäre daher nicht erstaunlich, wenn das Greisenalter als Kontrastbild in seinen Gedichten auftauchte. Aber gerade in diesem Zusammenhang fehlt es. Wie bei Sappho fand bei Alkman, soweit das vom Erhaltenen her zu beurteilen ist, das Alter erst Eingang in die Dichtung, als der Dichter selbst davon betroffen war, im Altersgedicht.

Als solches war das Eisvogelgedicht[123] in der Antike nicht weniger bekannt als heute. Aber obwohl wir durch Antigonos Deutungshilfe bekommen, geben die vielzitierten vier Zeilen bei näherem Zusehen der Interpretation doch mehr Rätsel auf als erwartet. Von Antigonos ist folgendes überliefert: ,,Die Männchen der Eisvogelweibchen heißen κηρύλοι. Wenn diese nun vom Alter geschwächt sind und nicht mehr zu fliegen vermögen, tragen die Weibchen sie, auf ihre Flügel nehmend. Und was Alkman sagt, entspricht dem. Er sagt nämlich, vom Alter geschwächt und nicht mehr imstande, weder am Chor noch am Tanz der jungen Mädchen teilzunehmen, folgendes:

,,Mädchen mit süßem Gesang und mit heiliger Stimme, die Beine tragen mich Alten nicht länger; ach! wenn ich ein Eisvogel wäre, wie er mit Eisvogelmädchen gemeinsam dahinschwebt, von Furcht frei, über die Kronen der Wellen, der purpurne heilige Vogel"[124].

Verpflichtend für die Interpretation ist den Worten des Antigonos folgendes zu entnehmen:
1. Alkman spricht in dem Gedicht, aus dem die 4 Zeilen stammen, von sich und seinem Alter.
2. Er spricht auf einen Mädchenchor bezogen.
3. Antigonos kennt eine Version der Sage vom Eisvogel, nach der die Weibchen ihre Männchen, wenn diese vom Alter geschwächt sind, beim Fluge hilfreich unterstützen.

Diese Mythenversion bringt Antigonos mit den Versen des Alkman in Verbindung, d.h. er interpretiert, denn expressis verbis stand in dem Gedicht des Alkman offensichtlich nichts vom Getragenwerden usw., wenn man nicht annehmen will, daß Antigonos genau das beim Zitieren weggelassen hat, was er erklä-

---

[122] Zur Bedeutung der Metapher des Blühens in der frühgriechischen Dichtung vgl. *Fränkel* WuF 43 ff.
[123] Fr. 26 P. = 94 D. = 74 Garzya; vgl. *Bowra*, GLP 61 ff.; *Fränkel*, DuPh 182 ff.; *F. M. Pontani*, Note alcmanee, Maia, 3, 1950, 44 ff.; *G. Perotta – B. Gentili*, Polinnia, 1965², 292; *M. Treu*, RE Suppl. 11 (1968), 19 ff.; *D. E. Gerber*, Euterpe, 1970, 98 ff.
[124] Antigon. Caryst., Mir. XXIII (27), p. 8 Keller. Der Text ist bei *Page* vollständig wiedergegeben. Die Übersetzung der Alkmanverse ist *Fränkel*, DuPh 221 entnommen, allerdings mit einer Änderung. In v. 1 schreibt Fränkel ,,mit reizender Stimme" statt mit ,,heiliger Stimme".

ren wollte. Kommt hinzu, daß die Wunschvorstellung, die mit βάλε einsetzt und mit ὄρνις endet, in sich ganz geschlossen ist, also auch von daher nicht zu erwarten wäre, daß in den – uns unbekannten – nachfolgenden Versen das Eisvogelmotiv Alkman etwa im Sinn der Erklärung des Antigonos[125] weitergeführt wurde. Das aber bedeutet, daß Antigonos offenbar für die Interpretation der vier Verse aus dem Gedichttext selbst nicht mehr Hinweise erhielt als wir. Es besteht also kein Zwang, die Deutung des Antigonos in diesem Punkt von vornherein als richtig zu akzeptieren. Tatsächlich finden sich in der Sekundärliteratur zu Alkman immer wieder Zweifel an der Deutung des Antigonos, die bei Page lapidar in dem Satz zusammengefaßt sind: „falsa est Antigoni interpretatio: ἅμ' ἀλκυόνεσσι ποτᾶται, non φορεῖται, hic cerylus"[126]. Wie aber die Verse positiv zu deuten sind, bleibt unerklärt, ja oft wird die Deutung des Antigonos etwas modifiziert wieder in ihre Rechte eingesetzt; so bei Bowra und auch bei Pontani, der schreibt: „che Antigono in sostanza interpreti giustamente"[127]. Es scheint demnach der Versuch angebracht, die Verse zunächst einmal ganz unabhängig von dem, was Antigonon sagt, zu interpretieren.

Um die Bedeutung eines unbekannten Bildes zu ermitteln, kann man sich an die von Fränkel am Beispiel der Interpretation von Ibykos fr. 286 exemplarisch vorgeführte Methode halten. Fränkel schreibt: „Gleichnisse also sind die Vokabeln der Poesie. Sie sind gar nicht immer aus sich und aus dem Zusammenhang heraus ohne weiteres verständlich, sondern nur dann, wenn man den Stempel kennt, den ihnen die Willkür der Erfindung – oder der Zufall der jeweilig letzten und nun gültigen Umprägung und Verwendung – verliehen hatte"[128].

Leider lassen sich Vorstufen für das Eisvogelgedicht bei Homer nicht finden, so daß sich der Interpret darauf beschränken muß zu fragen, wie in der frühgriechischen Lyrik das Motiv verwendet wurde und ob es eine eindeutig festlegbare Bedeutung hat, d. h. es stellt sich die Frage: welche Assoziationen sind mit der Vorstellung „wäre ich doch ein Eisvogel" für Alkman bzw. die Hörer seines Liedes verbanden?

Das Halkyon-Motiv muß in der frühgriechischen Lyrik beliebt gewesen sein. Sonst hätte z. B. Demetrios bei der Aufzählung von Themen der Gedichte Sapphos neben Schönheit, Liebe und Frühling nicht den Eisvogel nennen können

---

[125] Alle anderen Quellen, die ebenfalls diese Version berichten, haben offensichtlich Antigonos exzerpiert; vgl. *G. K. Gresseth*, The myth of Alcyone, TAPhA 95, 1964, 88 ff. Die Erörterung von *W. K. Kraag* (De Alcyonibus, Mnemosyne, 7, 1939, 142 ff.) kann nicht als ernsthafter Beitrag zu diesem Problem angesehen werden.

[126] *D. L. Page*, Poetae Melici Greaci, 1962, z. Stelle.

[127] *Bowra*, GLP 24. Bowra übernimmt zwar die Deutung von Antigonos, versucht aber zu modifizieren mit der Bemerkung: „that the girls taking part in the dance acted the role of Alkyones". *F. M. Pontani*, Note alcmanee, Maia 3, 1950, 47 widerspricht zwar der Deutung von Bowra, modifiziert die Interpretation des Antigonos selbst in etwas anderer Weise, um dann doch zu der im Text zitierten abschließenden Feststellung zu kommen.

[128] *Fränkel*, WuF 43 ff.

(fr. 196). Sieht man die übrigen Stellen in der frühgriechischen Lyrik durch, fällt auf, daß sich nirgends eine Spur der Sagenversion, wie sie Antigonos berichtet, findet. Mit dem Wort Halkyon verbindet sich eine andere Vorstellung, die am besten aus Aristoteles Hist. anim. 542 b bekannt ist:

τὸ δὲ τῶν ὀρνίθων γένος, ὥσπερ εἴρηται, τὸ πλεῖστον περὶ τὸ ἔαρ ποιεῖ-
ται καὶ ἀρχομένου τοῦ θέρους τὴν ὀχείαν καὶ τοὺς τόκους, πλὴν ἀλκυόνος. ἡ δὲ ἀλκυὼν τίκτει περὶ τροπὰς τὰς χειμερινάς. διὸ καὶ καλοῦνται,
ὅταν εὐδιειναὶ γένωνται αἱ τροπαί, ἀλκυόνειοι ἡμέραι ἑπτὰ μὲν πρὸ
τροπῶν, ἑπτὰ δὲ μετὰ τροπάς, καθάπερ καὶ Σιμωνίδης ἐποίησεν· ὡς
ὁπόταν χειμέριον κατὰ μῆνα πινύσκῃ Ζεὺς ἤματα τεσσαρακαίδεκα, λα-
θάνεμόν τέ μιν ὥραν καλέουσιν ἐπιχθόνιοι, ἱερὰν παιδοτρόφον ποικί-
λας ἀλκυόνος. γίνονται δ' εὐδιειναί, ὅταν συμβῇ νοτίους γίνεσθαι τὰς
τροπάς, τῆς Πλειάδος βορείου γενομένης. λέγεται δ' ἐν ἑπτὰ μὲν ἡμέραις
ποιεῖσθαι τὴν νεοττίαν, ἐν δὲ ταῖς λοιπαῖς ἑπτὰ ἡμέραις τίκτειν τὰ νεότ-
τια καὶ ἐκτρέφειν. περὶ μὲν οὖν τοὺς ἐνταῦθα τόπους οὐκ ἀεὶ συμβαίνει
γίνεσθαι ἀλκυονίδας ἡμέρας περὶ τὰς τροπάς, ἐν δὲ τῷ Σικελικῷ
πελάγει σχεδὸν ἀεί. τίκτει δ' ἡ ἀλκυὼν περὶ πέντε ᾠά. ἡ δ' αἴθυια καὶ
οἱ λάροι τίκτουσι μὲν ἐν ταῖς περὶ θάλατταν πέτραις, τὸ μὲν πλῆθος δύο
ἢ τρία· ἀλλ' ὁ μὲν λάρος τοῦ θέρους, ἡ δ' αἴθυια ἀρχομένου τοῦ ἔαρος
εὐθὺς ἐκ τροπῶν, καὶ ἐπικαθεύδει ὥσπερ αἱ ἄλλαι ὄρνιθες. οὐδέτερον δὲ
φωλεύει τούτων τῶν ὀρνέων. πάντων δὲ σπανιώτατον ἰδεῖν ἀλκυόνα
ἐστίν· σχεδὸν γὰρ περὶ Πλειάδος δύσιν καὶ τροπὰς ὁρᾶται μόνον, καὶ ἐν
τοῖς ὑφόρμοις πρῶτον ὅσον περιπταμένη περὶ τὸ πλοῖον ἀφανίζεται
εὐθύς, διὸ καὶ Στησίχορος τοῦτον τὸν τρόπον ἐμνήσθη περὶ αὐτῆς.

Danach läßt sich mit einiger Sicherheit soviel sagen: dem Aristoteles ist ein Motiv ,,Brutzeit der Eisvögel, zugleich die Zeit, in der sich diese Vögel überhaupt
nur zeigen – windstille Zeit" vertraut. Er kann es ganz selbstverständlich aus der
frühgriechischen Lyrik belegen (Simonides fr. 508 P. = 20 D.; Stesichoros fr.
248 P.). Zu den von Aristoteles zitierten Zeugnissen stellt sich noch ein pindar-
isches Fragment (fr. 62), dem ganz ohne Zweifel zu entnehmen ist, daß das Eis-
vogel-Motiv bei Pindar in demselben Sinn wie bei Simonides und Stesichoros
abgehandelt wurde[129]. Dieses Motiv: eine windstille Zeit mitten im sturm- und
unwetterreichen Winter, in der die Eisvögel, die Götterlieblinge, sich den Menschen zeigen und nisten und gerade dadurch für den Menschen in ihrer Ausnah-
mestellung zu etwas Göttlichem werden, dieses Motiv scheint, soweit sich aus

---

[129] In der Ausgabe von *Snell* ist das Fragment zu kurz zitiert. Wichtiger als die Apolloniosverse ist
das dazugehörige Scholion: λῆξιν ὁρινομένων· τὴν κατάπαυσιν καὶ λώφησιν τῆς τῶν ἀνέμων
βίας. <ἀκταῖης:> τὸ γὰρ ὄρνεον θαλάσσιον καὶ ἐν τοῖς αἰγιαλοῖς βιοῦν. λέγεται δὲ καὶ ὁ Ζεὺς
ἐφεξῆς ιε΄ ἡμέρας ἤ, ὥς τινες, ιδ΄ εὐδιεινὰς ποιεῖν, ἵνα ἀποκνήσῃ παρὰ τοῖς αἰγιαλοῖς, αἵ ἀλκυο-
νίδες ἡμέραι καλοῦνται, ζ΄ πρὸ τοῦ τόκου καὶ ζ΄ μετὰ τὸν τόκον. εἴληφε δὲ τὰ περὶ τῶν ἀλκυόνων
παρὰ Πινδάρου ἐκ Παιάνων. εὐλόγως δὲ ὅσσαν εἶπε τὴν τῆς ἀλκυόνος φωνήν· ὑπὸ γὰρ Ἥρας
ἦν ἀπεσταλμένη, ὥς φησι Πίνδαρος.

dem Erhaltenen beurteilen läßt, allein für die frühgriechische Lyrik bestimmend. Das für diese Zeit belegte Assoziationsspektrum würde also ungefähr folgenden Inhalt umfassen: wenn die wunderbar-heiligen Eisvögel erscheinen, kommt mitten im stürmischen Winter eine ruhige windstille Zeit[130].

Auf diesem Hintergrund sollen die vier Verse des Alkman betrachtet werden, ohne daß die Deutung von Antigonos berücksichtigt wird.

οὔ μ᾿ ἔτι, παρσενικαὶ μελιγάρυες ἱαρόφωνοι,
γυῖα φέρην δύναται· βάλε δὴ βάλε κηρύλος εἴην,
ὅς τ᾿ ἐπὶ κύματος ἄνθος ἅμ᾿ ἀλκυόνεσσι ποτήται
νηδεὲς ἦτορ ἔχων, ἁλιπόρφυρος ἱαρὸς ὄρνις.

Was dem ersten Vers voranging, die Situation, für die das Gedicht entstand, darüber Vermutungen anzustellen, ist zu unsicher[131]. Das Fragment beginnt mit „Nicht mehr". Aber ehe das „Nicht mehr" bestimmt wird, und bevor der Hörer überhaupt wissen kann, worauf es zielt, tritt etwas anderes in den Vordergrund: Alkman spricht den Chor der Mädchen an: „Mädchen mit süßem Gesang und heiliger Stimme". Beide Adjektive (μελιγάρυες – ἱαρόφωνοι) beziehen sich auf ihre Stimme und beide evozieren eine besondere Atmosphäre, jedenfalls gehören die Epitheta nicht zu den weitverbreiteten[132]. Die Stimme der Mädchen – nicht etwa ihre Schönheit usw., wie es z. B. entsprechend dem Partheneion zu erwarten wäre – wird hervorgehoben, d. h. ihr Gesang und das Lied, das ja von Alkman stammt. Mit dieser ganz besonders gearteten Anrede an die Mädchen findet sich der Hörer nach dem noch undifferenzierten „Nicht mehr" mitten in der Welt des Chores. Was diese ausmacht, wurde oben kurz angedeutet. Mit dem nächsten Vers erst wird das „Nicht mehr" weitergeführt. Die Knie sind zu schwach. Diese eine Aussage reichte aus, im Hörer den Gedanken zu evozieren: derjenige, der da spricht, ist alt, da das „γυῖα φέρην" ein durchgängiges Motiv in den Aussagen über das Alter ist. Homer spricht von den biegsamen Gliedern der Jugend, Sappho und Alkaios kennzeichnen durch das „die Knie tragen nicht mehr" ihr Alter[133]. Bei Alkman wie bei Sappho bekommt diese Aussage eine spezifische Bedeutung. Er kann nicht mehr unmittelbar am Chorgeschehen teilnehmen. Das aber evoziert die sich anschließende Wunschvorstellung, die wieder, wie die Anrede an die Mädchen, auf die Welt des Chores

---

[130] Zur Meinung der modernen Ornithologen über die antiken Vorstellungen über Eisvögel vgl. O. *Keller*, Antike Tierwelt II, 1913, 55 ff. und *D' Arcy Thompson*, Glossary of Greek Birds, 1936², 49.

[131] Die Vermutung von *Bowra* (GLP 23 ff.), daß es sich bei diesen Versen um eine Art von Prooimion handelt, ist weder zu widerlegen noch zu sichern; vgl. *J. K. Bos*, Een fragment van Alkman, Hermeneus, 39, 1968, 107 ff.

[132] μελιγάρυες kommt vor Pindar selten vor und wird nur in besonderen Zusammenhängen gebraucht: μ 187 von den Sirenen; h. H. III, 519 vom Gesang, den die Musen den Kretern ins Herz legen. Zu ἱαρόφωνοι vgl. *F. M. Pontani*, Note alcmanee, Maia, 3, 1950, 44 ff. Pontani tritt mit guten Argumenten für ἱαρόφωνοι und ἱαρός (v. 4) ein.

[133] Zur Topik der Altersprädikation s. u. S. 111 ff.

zielt. Alkman wünscht, ein κηρύλος zu sein, der zusammen mit den Eisvogelweibchen übers Meer fliegt. Was soll damit bezeichnet werden?

Die windstille Zeit der halykonischen Tage wünscht Alkman unter dem Bild
des Kerylos für sich, womit sicher etwas gemeint sein muß, was seiner eigenen
beunruhigenden Situation des Alterns entgegengesetzt ist. Die Beziehung aber
zwischen dem Wunschbild und der realen Situation stellt zunächst der Gedanke
an die Winterzeit her, der zwar nicht ausgesprochen wird, aber doch die Verse
beherrscht. Denn wie der Frühling für die Jugend steht, so der Winter mit seinen
Stürmen für das Alter, wie durch Ibykos fr. 286 zweifelsfrei erwiesen ist (s. S.
67ff.). Es stehen sich gegenüber: das Alter des Dichters, sozusagen die Win-
terszeit seines Lebens, eine Situation, in der Alkman in Gefahr gerät, von der
„frühlingshaften" Welt des Chores ausgeschlossen zu werden – auf der anderen
Seite: die halykonischen Tage, eine Winterpause. Wenn der alternde Alkman
sich wünscht, ein Kerylos zu sein, drückt sich darin der Wunsch und die Sehnsucht aus, aus seiner realen Situation des Alterns herauszutreten, den „Lebens-
winter" sozusagen zu unterbrechen durch eine „halykonische Windstille".
Damit gewinnt auch ἐπὶ κύματος ἄνθος an Bedeutung. Das Wort ἄνθος[134]
führt in die „blühenden Gärten der Jugend" zurück. Auch das νηδεὲς ἦτορ
ἔχων[135] weist in diese Richtung. „Furchtlos", ohne Angst vor den Stürmen des
Winters können die Eisvögel in der nach ihnen benannten Zeit leben. Das
Wunschbild, das zeigt sich deutlich, geht auf eine Gesamtsituation und ist nicht,
wie Antigonos interpretiert, beschränkt auf eine unmittelbare Parallele Kery-
los-Alkman. Das Fragment endet mit der Apposition: „der purpurne heilige
Vogel". Das entspricht formal genau der Anrede an die Jungfrauen. Aus den zitierten Stellen bei Simonides und Pindar ergibt sich, daß der Eisvogel tatsächlich
als heilig angesehen wurde. Damit aber ist ἱαρός in der Bedeutung der „heilige"
= unter göttlichem Schutz stehende Vogel über jeden Zweifel erhaben[136]. Kon-
sequenterweise ist dann auch jeder Änderungsversuch von ἱαρόφωνοι abzulehnen[137], denn offenbar wird zwischen v. 1 und v. 4 durch ἱαρός eine bewußte
Verbindung hergestellt, d.h. das Wunschbild wird direkt mit der realen Situation verknüpft.

---

[134] Die in den Editionen zu ἄνθος zitierten Parallelen sind alle wesentlich später, doch läßt sich
wohl kaum bezweifeln, daß mit κύματος ἄνθος zunächst die Schaumkronen der Meereswellen gemeint sind.

[135] B. *Marzullo*, Frammenti della Lirica Greca, 1966, 44, tritt wieder für νηλεές im Sinne von
‚animus firmus' ein. Doch gibt auch die Bedeutung ‚entschlossen' o. ä. an dieser Stelle keinen rechten Sinn. Ausführlich zu νηδεὲς hat *A. E. Harvey* (Homeric Epithets in Greec Lyric Poetry, CQu 7,
1957, 211 ff.) Stellung genommen.

[136] Das überlieferte εἴαρος ist des Digammas wegen sicher falsch. Zur Bedeutung von ἱαρός an
dieser Stelle vgl. *P. Wülfing- v. Martitz*, Ἱερός bei Homer und in der älteren griechischen Literatur,
Glotta 49, 1960, 29 f. Ein weiterer Beleg für ἱαρός ist die Tatsache, daß ἱαρὸς ὄρνις in der hellenistischen Dichtung als Versschluß öfters vorkommt und wohl Zitat nach einem berühmten Vorbild ist.

[137] Vgl. A. 132.

Natürlich drückt sich in dem Ausruf „Ach wäre ich..." ein unerfüllbarer Wunsch aus[138]. Doch es kommt nicht so sehr auf das direkte Verwandeltwerden an, das unmöglich ist; auch ein Heraustreten aus der realen Situation ist für Alkman faktisch unmöglich, da sich das Alter nicht abstreifen läßt. Aber etwas wie ein Abbild der Halkyones stellt der Chor doch dar, d. h. über das unerfüllbare Wunschbild bietet die reale Situation – der festliche Augenblick, an dem der Chor Alkmans Lied singt – die Möglichkeit einer „Ruhepause". Das ist ganz ohne Sentiment, denn die Bedeutung des Festes für den Griechen zeigt, um nur ein Beispiel zu nennen, die Homegyris der Delier im Apollohymnos, von denen sich fast die Formel aussagen ließ: „unsterblich seien sie und ohne Alter" (s.S. 8).

Die interpretierten Verse sind und bleiben eine Klage über das Alter, voll Sehnsucht nach dem Glanz der Jugend. Doch nur bedingt gilt das Urteil von Pontani: „il frammento nasce da un sentimento di triste stanchezza"[139], denn die Klage führt nicht zur Resignation, solange jedenfalls nicht, als Alkman durch das eigene Lied mit dem Chor verbunden bleibt.

4. TYRTAIOS

Es mag ein Zufall sein, daß sich in Schadewaldts Abhandlung zum Greisenalter keine Bemerkung über Tyrtaios findet, oder es mag daran liegen, daß Tyrtaios sich nicht in gleicher Weise „persönlich" zu diesem Thema geäußert hat wie andere frühgriechische Lyriker – aber das wäre auch entsprechend der Eigenart seiner Dichtung nicht zu erwarten. Denn immer ist zu bedenken, wie gänzlich seine Dichtung – soweit erhalten – auf ein Ziel ausgerichtet ist: Aufruf und Mahnung zur Arete des Kriegers[140]. Daraus ergibt sich auch, daß die beiden Altersgruppen, an die er seine Paraenese richtet[141], unterhalb der γῆρας-Grenze liegen und das Greisenalter selbst mit seinen nur ihm eigentümlichen Eigenschaften nicht thematisch wird. Wenn Tyrtaios überhaupt davon spricht, so mit der Absicht, die Pflicht der Jüngeren noch stärker zu betonen. Diese Eigenart und die thematische Beschränkung der tyrtaiischen Dichtung wird man in Rechnung stellen und seine Aussagen entsprechend relativierend beurteilen, doch sie ganz zu übergehen, hieße auf eine wichtige Quelle zu verzichten. Wir verdanken Tyrtaios wesentliche Aufschlüsse zur Lebensordnung im frühen Sparta; in ganz anderer Art als sein Zeitgenosse Alkman, machte er sich zum Sprecher dieser Polis. Daraus ergibt sich die Möglichkeit, unabhängig von der

---

[138] Vergleichbar ist der Wunsch des Kallimachos, vom Alter befreit zu werden (Aetia fr. 1, 32 ff.).
[139] *F. M. Pontani*, Note alcmanee, Maia 3, 1950, 47.
[140] Allgemein zu Datierungs- und Echtheitsfragen vgl. die Bibliographie in der Edition von C. *Prato* (Lyricorum Graecorum quae exstant III, Tyrtaeus, 1968).
[141] Zu dieser Altersgruppe vgl. *Fränkel*, DuPh 173 ff.

speziellen Situation des Tyrtaios etwas über die „offizielle" Einschätzung des Alters in Sparta zu erfahren.

Der Jonier Mimneros fürchtet nichts mehr als das Greisenalter. Das 60. Lebensjahr will ihm als das äußerste erscheinen, was für den Menschen noch erträglich ist (s. S. 86 ff.). In Sparta dagegen bestand der Rat der Alten, die höchste Instanz nach den Königen, nur aus Männern, die über 60 Jahre alt waren. Ein Lebensabschnitt, der hier seinen Stellenwert im Ganzen fest behauptet, wird von jenem gänzlich verurteilt und abgelehnt. Es liegt auf der Hand, daß in einer Polis, in der die Gerusia zu den höchsten staatlichen Institutionen gehört, der Altersstufe der Gerontes – also allen, nicht nur den zur Gerusia gehörigen – eine besondere und zwar positive Stellung zugekommen sein muß[142]. Bestätigt wird das durch einige Verse aus fr. 9 des Tyrtaios[143], in denen dem Krieger, der sich unerschrocken im Kampf für die Polis bewährt und siegreich nach Hause zurückkehrt, als Lohn für die Zukunft folgendes versprochen wird (37 – 42):

πάντες μιν τιμῶσιν ὁμῶς νέοι ἠδὲ παλαιοί,
πολλὰ δὲ τερπνὰ παθὼν ἔρχεται εἰς Ἀίδην,
γηράσκων ἀστοῖσι μεταπρέπει, οὐ δέ τις αὐτόν
βλάπτειν οὔτ' αἰδοῦς οὔτε δίκης ἐθέλει,
πάντες δ' ἐν θώκοισιν ὁμῶς νέοι οἵ τε κατ' αὐτόν
εἴκουσ' ἐκ χώρης οἵ τε παλαιότεροι.

Der Mann, der sich im Kampf als ἀνὴρ ἀγαθός für die Polis erwiesen hat, bekommt sozusagen die Garantie dafür, daß die Polisgemeinschaft[144] für ihn bis in sein hohes Alter hinein einstehen wird. Die Formulierung πολλὰ δὲ τερπνὰ παθών (38) könnte die Vorstellung aufkommen lassen, Tyrtaios habe so etwas ähnliches wie γῆρας λιπαρόν im Sinn. Aber ἀστοῖσι μεταπρέπει (39) zeigt, daß es um mehr geht, ohne daß hier die Frage entschieden werden soll, ob mit v. 39 tatsächlich ein Sitz in der Gerusia gemeint sein könnte[145].

---

[142] Zur Gerusia (Kompetenz, Zahl und Alter der Mitglieder) vgl. G. Busolt–H. Swoboda, Griechische Staatskunde I, 2, 1926², 680; F. Kiechle, Lakonien und Sparta, Vestigia 5, 1963, 142 ff.; P. Oliva, Sparta and her social problems, 1971, 71 ff. Zur Institution in Athen und anderen griechischen Städten vgl. J. H. Oliver, The sacred Gerusia, Hesperia Suppl. 6, 1941. Daß bei Tyrtaios in fr. 3 a und b die Gerontes nicht einfach nur genannt werden, sondern durch den Zusatz πρεσβυγενεῖς bzw. πρεσβῦται charakterisiert werden, ist auffällig. Der Zusatz geht wahrscheinlich sogar auf die sog. „Große Rhetra" zurück (vgl. H. Treu, Der Schlußsatz der großen Rhetra, Hermes 76, 1941, 22 ff., bes. 40). Liegt in dem Wort ein bewußter Hinweis darauf, daß die spartanischen Gerontes im Gegensatz zu den homerischen auch wirklich immer alt sind?

[143] Die Echtheitsfrage scheint mir durch die Arbeit von B. Snell, Tyrtaios und die Sprache des Epos, Hypomnemata 22, 1969 endgültig im positiven Sinn entschieden.

[144] Die Polisgemeinschaft läßt sich ganz im Sinne des homerischen Epos mit der Formel νέοι ἠδὲ γέροντες bezeichnen (fr. 9, 27 und 37; differenzierter fr. 9, 41 f.). Wie verschieden allerdings die zu Grunde liegenden Vorstellungen von der Polis als Gemeinschaft sind, hat zuletzt Snell (Tyrtaios und die Sprache des Epos, Hypomnemata 22, 1969) nachgewiesen. Aus der früheren Literatur zu diesem Problem sei besonders auf H. Stassburger, Der Einzelne und die Gemeinschaft im Denken der Griechen, HZ 177, 1954, 227 ff. hingewiesen.

[145] Prato, Tyrtaeus, 1968, z. Stelle.

Läßt sich aus fr. 9 sozusagen die ideale Lebensordnung des spartanischen Staates ablesen, so wird an anderer Stelle betont, welche Verantwortung die Jüngeren dementsprechend für die jetzt schon Älteren haben.

In fr. 7[146] wendet sich Tyrtaios an die νέοι. Ihre Aufgabe ist es, ohne Rücksicht auf ihr Leben als Vorkämpfer dem Feind entgegenzutreten. Wenn sie versagen, könnte eintreten, was Tyrtaios in dem breit angelegten, überaus krassen und wohl auch dem Charakter der Paraenese entsprechend übersteigerten Bild von dem alten Kämpfer sagt. Nicht die physische Schwäche der Älteren (ὧν οὐκέτι γούνατ' ἐλαφρά v. 19; ἤδη λευκὸν ἔχοντα κάρη πολιόν τε γένειον v. 23) soll hervorgehoben werden, sondern auf dem Hintergrund dieses Bildes die an sich selbstverständliche Aufgabe der νέοι schärfer hervortreten: die Alten vor der so beschriebenen Gefahr zu schützen. Denn was in dem einen Fall αἰσχρόν und νεμεσητόν ist (v. 26), gilt nicht im anderen: νέοισι δὲ πάντ' ἐπέοικεν (v. 27), ja, das Verhältnis ist fast umgekehrt proportional. Daß man das so gegeneinander aufrechnen kann, läßt sich wohl nur zum Teil aus der Stileigenart erklären; die Vorstellung einer allgemein anerkannten Norm, die Aufgaben und Ansprüche der einzelnen Altersstufen in ihrer gegenseitigen Beziehung bestimmt, scheint für Tyrtaios nicht weniger wichtig.

Wenn aber ein Kämpfer in der Entscheidung versagt – d. h. rein pragmatisch, daß ein einzelner die Phalanx bricht und gefährdet –, verliert er die schützende Gemeinschaft der Polis und reißt damit die ganze Familie ins Unheil (fr. 6,5/6), die alten Eltern nicht weniger als Frau und Kind. Das Alter erscheint auch hier in seiner Abhängigkeit von den Jüngeren, doch entscheidend ist nicht diese, sondern die Abhängigkeit beider Altersgruppen, der Jüngeren und der Älteren, vom guten Bestehen der Polis. Es reicht nicht mehr wie in der homerischen Gesellschaft der einfache Familienzusammenhang aus; wenn die Stellung in der Polis verloren ist, die allein ein geordnetes Verhältnis der verschiedenen Altersstufen untereinander garantiert, ist der Jüngere nicht viel besser dran als der Greis.

Tyrtaios spricht nicht ausdrücklich von besonderen Vorzügen des Alters, die die besondere Achtung, die es in Sparta genießt, begründen könnten; diese Achtung wird vielmehr als selbstverständlich vorausgesetzt. Innerhalb der Paraenese zum Kampf tritt das Alter in seiner physischen Schwäche und Abhängigkeit hervor, aber so, daß der Anspruch, diese Schwäche zu schützen, nicht begründet zu werden braucht. Dahinter steht die Lebensordnung Spartas, innerhalb derer die πρεσβυγενεῖς γέροντες (fr. 3a, 5) ihre anerkannte Stellung und Aufgabe haben und keiner anderen Altersstufe nachstehen. Diese Selbstverständlichkeit, mit der das gegenseitige Aufeinanderangewiesensein implizit auch in den Gedichten des Tyrtaios erscheint, entspricht weithin dem, was für die homerische Gesellschaft galt. In der Akzentuierung aber auf die im Kampf erwiesene Arete als Grund für die Achtung gegenüber dem Alter folgt er einer für die ganze früh-

[146] Vgl. W. J. Verdenius, Tyrtaeus 6–7, Mnemosyne 22, 1969, 337ff.

griechische Lyrik typischen Tendenz, vorgegebene Motive auf einen Aspekt zu begrenzen und dadurch zu intensivieren.

Doch wichtiger scheint eine andere Verschiebung gegenüber Homer, die mit dem veränderten Verhältnis Mensch-Polis zusammenhängt. In der homerischen Gesellschaft ist es weitgehend die Kontinuität der Geschlechterabfolge (s. S. 22 ff.), die die Stellung der Alten bestimmt; zwar spielt der Gedanke an das Genos auch bei Tyrtaios eine Rolle[147], doch neben dieser vertikalen Bindung des Einzelnen in der Familientradition tritt nun – und zwar bestimmend – die horizontale Verklammerung in der Gemeinschaft der Polis von Sparta, die den Gerontes vorzügliche Achtung entgegenbringt. Damit soll nicht gesagt werden, daß dem einzelnen Menschen in Sparta die Auseinandersetzung mit dem Greisenalter erspart geblieben wäre. Doch Lieder wie die des Mimneros hätten in einer so oder ähnlich strukturierten Umwelt kaum einen Platz gefunden.

5. SAPPHO

Sapphos Dichtung ist ganz auf das Zentrum ihrer Welt, Aphrodite, bezogen. Die Göttin ist der Inbegriff für alles Schöne; von ihr her und auf sie hin bestimmen sich Sappho, ihre Gefährtinnen und alle Dinge des Lebens: ,,Dasein in der Liebe", wie Schadewaldt formuliert[148]. Nur aus dieser Konzentration läßt sich die scheinbare Enge ihrer Welt erklären. Jedenfalls kann es nicht zufällig sein, daß Alkaios' Dichtung wesentlich mehr Stoff bietet, was ihm dann allerdings den Vorwurf der Zerfahrenheit eingebracht hat[149]. Es wäre wert zu untersuchen, was alles bei Sappho nicht zu finden ist[150]. ,,Die Gärten der Nymphen, Hochzeiten und Liebe"[151] sind es, die in der Sicht der Späteren Sapphos Welt charakterisieren. Schönheit, Charis und ἁβϱοσύνα[152] bestimmen das Lebensideal, das in archaischer Fülle und Gegenständlichkeit in jedem Ding aufleuchtet, das zu dieser Welt gehört: im glänzenden Antlitz, im schönen Gang und

---

[147] Vgl. fr. 6, 9.

[148] *Schadewaldt*, Sappho.

[149] Wieweit dieser sachliche Unterschied zwischen der Dichtung Sapphos und der des Alkaios tatsächlich zu einer verschiedenen ‚Bewertung' Anlaß geben kann, soll hier nicht gefragt werden.

[150] Untersucht wird meist nur, was episch und was unepisch sei, um die Lyriker insgesamt vom Epos abzusetzen.

[151] Demetr. de eloc. 132.

[152] Keiner der Lyriker vor Pindar gebraucht das entsprechende Adjektiv ἁβϱός so häufig wie Sappho; Homer kennt es nicht! Bei Sappho: fr. 2, 14 (Aphrodite als Mundschenk); fr. 128 (von den Chariten); fr. 44, 7 (die junge Braut Andromache); fr. 140, 1 (Adonis); fr. 100 (ein Tuch); unsicher fr. 25, 4 und 84, 5. Das Substantiv nur in fr. 58. Das Adjektiv sonst in der frühgriechischen Lyrik: Alk. 42, 8; 41, 2; Anac. fr. 347, 1; 373, 2; Stes. fr. 312, 2 (vgl. Treu, Von Homer zur Lyrik 175 f.). Es bleibt zu untersuchen, seit wann die Worte mit dem Stamm ἁβϱο–einen negativen, polemisierenden Klang bekommen. Daß mit der einsetzenden Polemik das Wort selbst in seinem Sinn verwandelt wird, ist deutlich. In welchem Sinn Sappho es gebraucht, wird deutlich aus fr. 2 (vgl. *A. Romé,* L'uso degli epiteti in Saffo e Alceo, StudCIOr 14, 1968, 230).

leuchtenden Blick, in Blumen und Salben, in Ketten und Wohlgerüchen, in Gesang und Tanz; aber auch die ganze umgebende Natur wird einbezogen, wie die vielen Gleichnisse zeigen, besonders aber das Gedicht zur Nachtfeier (fr. 2), in dem die ganze Naturbeschreibung hinzielt auf das Erscheinen der Aphrodite, deren Tun eben auch durch ἄβρως (fr. 2,14) gekennzeichnet wird.

Das Alter muß für diese Welt eine unmittelbare Bedrohung sein, unmittelbarer als politische Wirren und deren Folgen wie die Verbannung aus der Heimatstadt. Dies wird zwar schmerzlich erfahren, aber kann doch in der Besinnung auf das, was für Sapphos Welt bestimmend ist, aufgefangen werden. Das Alter muß diese Welt in der Mitte treffen, weil es die Gefahr der „Selbstentfremdung" mit sich bringt. Für die Frage nach der Stellung der frühgriechischen Dichtung zum Alter müßte also gerade die Dichtung Sapphos aufschlußreich sein.

In zwei der erhaltenen Fragmente hat Sappho vom Alter und, wie es scheint, in beiden Fällen vom eigenen gesprochen (fr. 21 und fr. 58). Ob auch fr. 24 und fr. 121 in diesen Zusammenhang gehören, ist nicht zu entscheiden[153]. In fr. 21 und fr. 58 ist die Situation dieselbe: das Alter ist schon eingetreten, es wird erst im Altersgedicht thematisch. So fragmentarisch auch die Dichtung Sapphos überliefert ist, mit einiger Sicherheit wird man doch sagen können, daß in ihren Liedern das Motiv des in der Zukunft drohenden, immer näher rückenden Alters fehlt. Da dasselbe für die größere Zahl der frühgriechischen Dichter zutrifft, muß die Grundthese Schadewaldts differenziert werden (s. S. 119).

Da sich über fr. 21 zu wenig Sicheres sagen läßt[154], bleibt als Quelle für die Einstellung Sapphos zum Alter fr. 58[155]. Zunächst soll paraphrasiert werden, was sich dem Fragment abgewinnen läßt.

[153] fr. 24, 3f.:
καὶ γὰρ ἄμμες ἐν νεότατι
ταῦτ' ἐπόημμεν
Die Worte legen die Vermutung nahe, daß Sappho als schon nicht mehr Jugendliche spricht. Dann wären v. 2]ἐμνασεσθ' und v. 5 πόλλα μ]ὲν γὰρ καὶ κά[λα als Versuch zu interpretieren, durch die Erinnerung an die schöne Vergangenheit und durch deren Vergegenwärtigung den Kummer des Augenblicks zu überwinden, was nicht untypisch für Sapphos Art zu dichten wäre. Sicherheit freilich läßt sich in keinem Punkt erreichen. Fr. 121 kann, aber muß nicht in diesen Zusammenhang gehören. Jedenfalls kommt in diesem Fragment ein nicht näher festlegbarer, relativer Altersunterschied zur Sprache.

[154] Vgl. *Schadewaldt*, Sappho 158. Erkennen läßt sich vom Zusammenhang nur wenig:
v. 3 Klage (über das Alter?).
v. 4 τρομέροις wohl sicher der Topos ‚die Knie tragen nicht mehr'.
v. 6 die Haut wird runzlig.
v. 8 das Subjekt zu πέταται διώκων bleibt unsicher, doch wird *U. v. Wilamowitz-Moellendorf* (NJA 33, 1914, 228 A. 3) ungefähr das Richtige treffen mit der Paraphrase: „῎Ερος vel ῞ιμερος senectutem fugit, iuventutem petit". Als Parallele bietet sich Anac. fr. 379b an.
v. 11 λάβοισα ἄεισον offenbar wird ein junges Mädchen aus dem Kreis zum Gesang aufgefordert, der hier – wie so oft bei Sappho – Verbindung und Trost bedeuten mag.

[155] Eingehend behandelt wurde dieses Fragment, soweit ich sehe, noch nie. *Fränkel*, DuPh und *Bowra*, GLP gehen gar nicht darauf ein. *Stiebitz* (Berliner Philo. Wochenschr. 1926, 1259ff.) hat in den v. 19ff. den Tithonosmythos erkannt. *Schadewaldt*, Sappho 160 und *Treu*, Sappho 58 charakte-

<pre>
                               •   •   •
                                                ].[
2 —   ].δα[
                                                ]
4 —   ].α
                                                ]ὐγοιcᾳ[   ]
6 —   ].[..]..[   ]ιδάχθην
                   ]χυ θ[’.]οι[.]αλλ[......]ύταν
8 —   ].χθο.[.]ατί.[.....]εικα
                 ]μένα ταν[....ὠ]νυμόν cε
10 —   ]ντι θῆται cτ[ύ]μα[τι] πρόκοψιν
                 ]πων κάλα δῶρα παῖδεc
12 —   ]φιλάοιδον λιγύραν χελύνναν
                ]ντα χρόα γῆραc ἤδη
14 —   ]ντο τρίχεc ἐκ μελαίναν
               ]αι, γόνα δ’ [ο]ὐ φέραιcι
16 —   ]ηcθ’ ἴcα νεβρίοιcιν
             ἀ]λλὰ τί κεν ποείην;
18 —   ] οὐ δύνατον γένεcθαι
             ] βροδόπαχυν Αὔων
20   ἔc]χατα γᾶc φέροιcα[
            ]ον ὔμωc ἔμαρψε[
22 —   ]άταν ἄκοιτιν
            ]ιμέναν νομίcδει
24 —   ]αιc ὀπάcδοι
       ᾽]   ἔγω δὲ φίλημμ’ ἀβροcύναν,   ]τοῦτο καί μοι
26-ὄ-]   __ τὸ λά[μπρον ἔροc τὠελίω καὶ τὸ κά]λον λέ[λ]ογχε.
       ;]
</pre>

Daß Sappho in diesem Lied von sich und ihrem Alter spricht, steht außer Zweifel. Der Anfang des Fragmentes ist zu verstümmelt, als daß sich Vermutungen rechtfertigen ließen[156].

risieren nur allgemein. Eine kurze Erwähnung bei *D. Page*, Sappho und Alceus, 1955, 129 f.; Paraphrase bei *G. Perotta*, Saffo e Pindaro, 1935, 36. Übersetzung (stark ergänzt) bei *E. Mora*, Sappho, Histoire d'une poète, 1966, 379.

[156] Vielleicht ist das Gedicht an ein junges Mädchen aus ihrem Kreis gerichtet (v. 9 .. – ὠνυμόσε), das seiner Schönheit oder Kunstfertigkeit im Leierspiel wegen wohl bekannt ist oder doch einmal sein wird.

Es besteht aber kein Grund, nach v. 12 das Gedichtende anzunehmen[157]. Im einzelnen läßt sich erkennen:

v. 11–12: Das Motiv „Aufforderung zum Gesang" oder einfach „Gesang". Dasselbe Motiv in gleichem Zusammenhang in fr. 21,12. Angesprochen werden die jungen Mädchen (παῖδες).

v. 13–15: Aufzählung der aus der frühgriechischen Dichtung geläufigen Symptome des Greisenalters:
   a) die Haut wird schon (ἤδη)[158] runzlig;
   b) die Haare werden weiß;
   c) die Knie tragen nicht.

v. 16 : Ein wie auch immer geartetes Gegenbild der Jugend, wie es sich ähnlich bei Bacchylides fr. 13,84 findet. Leider ist] ησϑ᾽ nicht eindeutig festzulegen, da es Infinitiv oder 2. Person Singular sein kann.

v. 17–18: Offensichtlich eine Form der „Zurücknahme", durch die konstatiert wird, daß unmöglich ist, sich gegen das Faktum Alter aufzulehnen: „was sollte ich tun? Unmöglich ist es zu werden (scl. alterslos und ewig jung)". Diese „Zurücknahme" ist bei Sappho häufig (z.B. fr. 31, 17; 16,21 f.; 63,44 ff.; 140a); der nachfolgende Satz ἀλλὰ τί κεν ποείην legt, nach allem, was über Sapphos Dichtung bekannt ist, nahe, daß es sich in diesem Fragment um eine Selbstdarstellung handelt.

v. 19–24: Tithonosmythos. Übernommen ist die geläufige Sagenversion: Eos entführt den sterblichen Tithonos als Gatten ἔσχατα γᾶς φέροισα. Trotzdem kann er dem Alter nicht entgehen. Daß sich v. 21 ὔμως ἔμαρψε nur auf das Greisenalter beziehen kann, welches den Tithonos trotz seiner Ausnahmesituation ergreift, ist nicht zu bezweifeln (cf. besonders Hesiod Scutum 245).

v. 25–26: Liedende, durch Papyros gesichert. Die Verse enthalten eine bewußte „Selbstaussage": a) „ich liebe die ἀβροσύνα";
                   b) [   ]τοῦτο καί μοι
τὸ λάμπρον ἔρος τὠελίω καὶ τὸ κάλον λέλογχε.
Was diese letzten – sehr verschieden gedeuteten – Worte bedeuten, soll zunächst offen bleiben.

---

[157] Vgl. *Page*, SaA 130 A. 1

[158] Auf einige Eigentümlichkeiten im Zusammenhang mit dem Wort ἤδη kann hier nur hingewiesen werden. Das Wort kommt im Epos überaus häufig vor, in der Lyrik vor Pindar dagegen nur selten, und zwar insgesamt an 15 Stellen, davon 8 mal in unmittelbarem Zusammenhang mit dem Alter: Arch. fr. 113; Tyrt. fr. 7, 23; Sappho fr. 21, 6 und 58, 13; Alkaios fr. F 5, 11 und X 14 II, 13; Anac. fr. 395, 1 und 432, 1. In allen Fällen ist dabei das Alter als schon eingetreten gedacht; es gibt kein Beispiel dafür, daß ein junger Mensch die Worte spricht ,schon naht das Alter heran'. Zugleich läßt sich beobachten, wie die mit ἤδη verbundene Zeitvorstellung sich in der Dichtung von Homer bis Pindar ändert, ebenso wie die des negativen Korrelats οὐκέτι. Eine genauere Erörterung der Problematik bleibt einer eigenen Untersuchung vorbehalten.

Soviel läßt sich mit einiger Sicherheit aus dem Text ablesen. Die Struktur des Gedichtes ab v. 10 ist deutlich: Jugend, Gesang – Symptome des Alters – Rückgriff auf die Jugend – Konstatierung der unausweichlichen Situation – mythisches Paradigma für diese Unausweichlichkeit – zusammenfassende Stellungnahme. Das Ganze entspricht dem, was sonst von Sapphos Dichtung bekannt ist.

Zu fragen ist nun, wie eigentlich Sappho sich hier zum Alter stellt. Mitten in den Kreis der Zöglinge (v. 11/12), mitten in die Welt, die, wie oben gesagt, durch nichts besser als durch das Wort ἀβροσύνα gekennzeichnet werden kann, bricht das Alter ein. Der Gegensatz wird sachlich und „distanziert" beschrieben, die vv. 13/15 sind ein typisches Beispiel für den Stil der frühgriechischen Dichtung, wie er von Fränkel aufgezeigt wurde. Wichtig ist, daß Sappho nur äußere Symptome beschrieben hat[159]. Aber diese Symptome betreffen ihre Welt besonders, sind sozusagen Fremdkörper. Darin liegt die Bedrohung durch das Alter, auch wenn keine Klage laut wird. Die Rückerinnerung an das Einst (v. 16) kann in diesem Fall nicht das leisten, was Erinnerung und Vergegenwärtigung des Vergangenen sonst zu leisten vermögen[160]. Die Frage: ἀλλὰ τί κεν ποείην zeigt, daß das Problem des Alters durch die Erinnerung an das Früher noch schärfer in den Vordergrund tritt. Das Wort νεβρίοισι, das die Jugend kennzeichnet, steht in schärfstem Gegensatz zu den zuvor geschilderten Alterssymptomen.

In einem zweiten Angang wird das Thema Alter im Spiegel des Mythos dargestellt. Daß es für den Menschen die Möglichkeit, wieder jung zu werden, nicht gibt, dies zu verdeutlichen, ist Aufgabe und Funktion des Tithonosmythos. Sicherlich bringt er „Ablösung aus der Gegenwart und konkreten Vergangenheit, Wegrücken in eine ferne und hohe Sphäre und damit Befreiung von der persönli-

---

[159] In diesem Zusammenhang wäre es interessant, wenn der Zusammenhang, aus dem fr. 113 und 114 des Archilochos stammen, zu erschließen wäre.
fr. 113: οὐκέθ᾽ ὁμῶς θάλλεις ἁπαλὸν χρόα· κάρφεται γὰρ ἤδη
fr. 114: ὄγμος, κακοῦ δὲ γήραος καθαιρεῖ.
Feststellen läßt sich nur, daß sich in fr. 113 der Spott des Archilochos gegen eine alternde Frau richtet. „Sie blüht nicht mehr ebenso (scl. wie früher) im Reize ihrer zarten Haut. Schon zeigen sich Runzeln." Das Treffende der Verse liegt darin, daß ein Geschehen bezeichnet wird, das durch seine Konstellation zwischen einem Früher und Später kritisch wird. Der Aspekt des ‚Nicht-Mehr' wird dadurch verschärft, daß der Verlust mit der fortschreitenden Zeit immer stärker werden muß. Schließt man direkt an fr. 114 an, so muß Snells Änderung von ὄγμος in ὄγμοις übernommen werden (B. Snell, Philologus 96, 1944, 283 ff.). Beide Fragmente sind zusammengeschlossen bei M. L. West, Iambi et Elegi Graeci I, fr. 188 und Q. Cataudella, Intorno ai Lirici Greci, 1972, 56. Auch in fr. 27 führt Archilochos das Alter als Zerstörer der jugendlichen Schönheit ein; die Schönheit kann nur noch künstlich aufrecht erhalten werden. Zumindest in fr. 27 steht der Gedanke im Hintergrund, daß das Alter, wenn es sich ängstlich an die Jugend klammert, lächerlich wirkt. Das heißt aber nicht, daß das Alter überhaupt nur negativ zu bewerten wäre. Archilochos spricht nicht gegen das Alter, sondern gegen den Menschen, der mit seinem Altern nicht zurecht kommt.
[160] Vgl. W. Schadewaldt, Hermes 71, 1936, 363 ff.; M. Treu, RE Suppl. 11 (1968), 1222.

chen Gebundenheit[161]". Das Alter erscheint hier nicht in erster Linie unter dem Aspekt des körperlichen Verfallens, sondern unter dem der grundsätzlichen Distanz zwischen göttlichem und menschlichem Bereich[162]. Aber dieses – ein passives Sich-Bescheiden – löst das Problem des Alters nicht. Im Gegenteil, gerade dieser Mythos stellt die Frage nach der Bewertung des Alters noch dringlicher[163]. Zwar ‚leistet' er für Sappho in der Besinnung auf ihre Situation als Mensch eine gewisse Versachlichung. Offen aber bleibt die Frage, wie die alternde Sappho in ihrer von der Jugend und dem ἄβρως bestimmten Welt weiterleben soll. – In diesem Gedicht vermögen weder die Erinnerung an das Früher noch der Mythos die kritische Situation zu lösen. Die nirgends direkt ausgesagte, aber überall durchscheinende Aporie bleibt bestehen. Von dem Wunsch, wie ein Gott sich ewiger Jugend zu erfreuen, setzt sich Sappho mit ἔγω δὲ (v. 25) energisch ab. Das Motiv οὐ δύνατον findet hier seinen Schlußpunkt. Folgt eine positive Gegenposition? Damit ist die Frage nach Sinn und Bedeutung der beiden Schlußverse gestellt.

Page vermerkt zu v. 25/26: „I have no conception of the meaning of the last two lines."[164] Wie ich meine, rührt die Absonderlichkeit der beiden Verse von einem sprachlichen Phänomen her: die Worte werden unarchaisch „abstrakt". ἔγω δὲ φίλημμ' ἀβροσύναν: diesen Satz könnte man allen Gedichten Sapphos als Thema voraustellen. Doch spricht sie sonst immer von einzelnen ἄβρα. Das zusammenfassende Substantiv steht nur hier[165]. Es wird aber nicht „archaisch" in Einzeldinge aufgefaltet. Im Gegenteil, die „Abstraktion" wird weitergeführt, wie sich aus den letzten Worten ergibt, die genauer zu analysieren sind. Treu übersetzt: „Ich aber liebe die Sonne: die Liebe zur Sonne hat auch mir dies schöne und leuchtende Los zuteil werden lassen." Seine Paraphrase: „Ich liebe den Glanz: ..... dies wurde mein Teil im Leben, hell, strahlend und schön ist dies mein Los, weil ich die Sonne liebe", entzieht sich der Diskussion[166]. Schadewaldt übersetzt: „Ich aber liebe die Köstlichkeit, ein süß Ding das, und ist mir in der Liebe das Leuchten des Sonnenlichts und auch das Schöne geworden[167]" Treu läßt den Satz mit τοῦτο beginnen – über die Lücke zwischen ἀβροσύναν und τοῦτο äußert er sich nicht, faßt ἔρος τὠελίω als Subjekt, τὸ λάμπρον und τὸ κάλον als Akkusativ-Objekte (τοῦτο geht mit τὸ λάμπρον zusammen). Bedenklich stimmt bei dieser Deutung die weite Sperrung τοῦτο – τὸ λάμπρον und das aus dem Ganzen nicht motivierbare „auch", durch das Treu καὶ wie-

---

[161] R. *Harder*, Eigenart der Griechen, 1962, 41.

[162] Wenn man schon die Frage nach der ‚Funktion' des Mythos stellt, so läge sie in diesem Fall darin, die Grenze zwischen Mensch und Gott zu exemplifizieren.

[163] Da selbst Eos, die rosenarmige, Tithonos vom Alter nicht befreien konnte, darf der ‚normale' Mensch nicht Unerreichbares verlangen.

[164] *Page*, SaA 130 A. 1.

[165] Das Substantiv in der frühgriechischen Dichtung sonst nur noch bei Xenophanes fr. 3, 1.

[166] *Treu*, Sappho 156 und 59. Ähnlich *E. Mora*, Sappho, 1966, 379: „Moi j'adore la grâce et pour moi aimer le soleil c'est avoir part à ce qui resplendit comme à ce qui est beau".

dergibt. Schadewaldt dagegen läßt den zweiten Satz erst mit καὶ beginnen; das in den fehlenden drei Silben zu Ergänzende mitsamt τοῦτο versteht er offensichtlich als Apposition zum Vorausgehenden; Eros faßt er als Subjekt ohne Genetiv-Ergänzung und verbindet τὸ λάμπρον mit τὠελίω. Leider kann an dieser Stelle von den gebrauchten Artikeln kein Kriterium für die Übersetzung gewonnen werden[168]. Da die Anmerkungen zum Sapphobuch Schadewaldts nie erschienen sind, die diese Übersetzung sicher erläutert hätten, läßt sich seine Meinung zu dieser Stelle mit Sicherheit nicht festlegen. Es sieht aber so aus, als ob er nur τὸ λάμπρον mit τὠελίω verbindet, τὸ κάλον dagegen nicht. Daß er ἔρος τὠελίω auseinanderreißt, führt zu großen Schwierigkeiten. Nicht nur die Paraphrase des Athenäus[169] und die Wortstellung sprechen dagegen, sondern der Umstand, daß das Motiv „Leben = das Licht der Sonne sehen" seit Homer in der ganzen griechischen Literatur ein selbstverständliches Motiv ist. Es bedürfte also schon sehr starker Argumente, um eine Trennung zwischen ἔρος und τὠελίω wahrscheinlich zu machen. Weiterhin wird bei ihm die Parallelität zwischen τὸ λάμπρον und τὸ κάλον nicht berücksichtigt. Auf welche Weise Sappho ein Thema wie „Glanz eines Dinges" sprachlich faßt, zeigt fr. 16,18. Es findet sich in den erhaltenen Fragmenten nirgends eine Parallele für die Verbindung eines substantivischen Adjektivs mit einem Substantiv, das etwas Konkretes ausdrückt. Festgehalten sei aber, daß auch Schadewaldt τὸ κάλον als substantiviertes Neutrum ohne Ergänzung aufzufassen scheint.

Sicher scheint nach dem hier Ausgeführten, daß τὠελίω als Genetivergänzung zu ἔρος gehört. Damit steht fest, daß τὸ λάμπρον und τὸ κάλον ohne weitere Ergänzung als Akkusativ-Objekte zu λέλογχε zu verstehen sind, wie es auch Treu tut. Zu übersetzen ist: „Die Liebe zur Sonne hat mir das Glänzende und Schöne zuteil werden lassen." Als Problem bleibt die Lücke und das Wort τοῦτο. Daß mit τοῦτο auf das Vorausgehende verwiesen wird, ist sicher, es mit τὸ λάμπρον zu verbinden aber führt – wie eben besprochen – zu neuen Unstimmigkeiten. Diese Schwierigkeiten ließen sich lösen durch eine Konjektur von H. Gundert, der als Ergänzung der drei fehlenden Silben die Worte τῶδυ δὲ[170] vorgeschlagen hat. Es wäre dann zu lesen:

[167] *Schadewaldt*, Sappho 160f.

[168] Vgl. *E. Lobel*, Ἀλκαίου Μέλη, 1927, XC; Lobel verbindet zwar wie Treu ἔρος τὠελίω, aber der Artikelgebrauch bleibt in jedem Fall eine Ausnahme.

[169] Athenaeus 15, 687 a–b
ὑμεῖς δὲ οἴεσθε τὴν ἁβρότητα χωρὶς ἀρετῆς ἔχειν τι τρυφερόν; καίτοι Σαπφώ, γυνὴ μὲν πρὸς ἀλήθειαν οὖσα καὶ ποιήτρια, ὅμως ᾐδέσθη τὸ καλὸν τῆς ἁβρότητος ἀφελεῖν λέγουσα ὧδε (fr. 58 L.–P.)· φανερὸν ποιοῦσα πᾶσιν ὡς ἡ τοῦ ζῆν ἐπιθυμία τὸ λαμπρὸν καὶ τὸ καλὸν εἶχεν αὐτῇ· ταῦτα δ' ἐστὶν οἰκεῖα τῆς ἀρετῆς.

[170] ἡδὺς wird im homerischen Epos oft und meist in festen Verbindungen gebraucht; Epitheton zu Wein oder Trank (19 mal); Schlaf (9 mal), Duft (3 mal), Gesang; sehr häufig ist die formelhafte Wendung ἡδὺ γελᾶν (10 mal). Wichtiger ist, daß das Wort ganz allgemein und ‚abstrakt' in der Formel φίλον καὶ ἡδὺ γένοιτο (Δ 17; Η 387; ω 435) gebraucht wird. In der äolischen Lyrik steht das Wort an folgenden Stellen: Sappho fr. 31, 3, fr. 62, 3 und fr. 88 a (9); an der zuletzt zitierten Stelle im

ἔγω δὲ φίλημμ' ἀβροσύναν, τῶδυ δὲ] τοῦτο καί μοι
τὸ λά]μπρον ἔρος τὠελίω καὶ τὸ κά]λον λέ[λ]ογχε.

„Ich aber liebe die Köstlichkeit; dieses Süße und Glänzende und Schöne hat mir
die Liebe der Sonne zuteil werden lassen." Die Struktur des Satzes ist damit einfacher als in den Deutungen von Schadewaldt und Treu. τῶδυ δὲ τοῦτο nimmt
zusammenfassend ἔγω δὲ φίλημμ' ἀβροσύναν auf und wird mit τὸ λάμπρον
und τὸ κάλον weitergeführt[171].

Doch auch unabhängig von dieser Konjektur ist festzustellen, daß mit diesem
letzten Satz die mit ἔγω δὲ φίλημμ' ἀβροσύναν einsetzende sprachliche „Abstraktion" weitergeführt wird: (das Süße und) das Glänzende und das Schöne
sind ihr zuteil geworden[172]. Eine solche Formulierung widerspricht dem, was
wir sonst von archaischer Lyrik wissen. Das substantivierte Adjektiv im Singular mit Artikel und ohne Ergänzung fehlt bei Homer und Hesiod. Gebräuchlich
ist zwar der Neutrum-Plural eines Adjektives mit oder ohne Artikel[173]. Bei Hesiod erscheint das substantivierte Adjektiv Neutrum im Singular, aber ohne Artikel[174]; die einzige Parallele in dieser Zeit zu (τῶδυ) – τὸ λάμπρον – τὸ κάλον ist
τὸ ἄπειρον des Anaximander[175].

Wenn Sappho so vom (Süßen), Glänzenden[176] und Schönen spricht, ohne
diese Begriffe wieder in Einzeldinge aufzufalten – eine Auffaltung ins Einzelne
würde ja wieder in die Aporie der Verse 10 ff. führen –, so hat sie in diesen schönen, glänzenden und reichen Dingen eine Einheit gesehen. Die „Liebe zur Sonne" hat ihr dies zuteil werden lassen. Mit den Worten: ἔρος τὠελίω ist sicher
zunächst die Freude am Leben gemeint, wie Athenaeus kühl paraphrasiert: ἐπιθυμία τοῦ ζῆν; denn für die griechischen Dichter ist „Leben" identisch mit

Komparativ; so auch bei Alkaios fr. 123 F 9, 4; sonst als Beiwort zu τέττιξ (fr. 347 Z 23 a 3) oder zu
μύρον (fr. 362 Z 39, 3). Von Gebrauch und Bedeutung des Wortes her also ergeben sich keine Ein-
wände gegen die Konjektur. Zur Synaloiphe vgl. E. Hamm, Grammatik zu Sappho und Alkaios,
1957, 38. Zur Verbindung mit τοῦτο vgl. E. Lobel, ' Αλκαίου Μέλη, 1927, LXXX.

[171] Die weite Trennung der drei Worte τῶδυ, τὸ λάμπρον, τὸ κάλον läßt sich sonst in der äolischen Lyrik nicht nachweisen. Es ist aber zu beachten, daß in jedem Fall – mit oder ohne Gunderts
Konjektur, im Sinne von Schadewaldt oder Treu verstanden – die letzten zwei Verse dieses Gedichtes, wie eigentlich die Struktur des ganzen Schlußkomplexes, Besonderheiten aufweisen, die, wenn
man so will, das fr. 58 insgesamt als atypisch erscheinen lassen.

[172] ἀβροσύνα und die substantivierten Adjektive ergänzen sich. Einerseits ist das zusammenfassende ἀβροσύνα Beginn der ‚Abstraktion', andererseits bindet es (τῶδυ), τὸ λάμπρον, τὸ κάλον an
die Einzeldinge.

[173] Z.B. A 70 (mit Artikel); α 43 (ohne Artikel); anders sind, wie mir scheint, Formulierungen
wie τὸ πλέον πολέμοιο (A 165) zu beurteilen. Bei der hier zu behandelnden Frage geht es um das
substantivierte Neutrum im Singular ohne weitere Ergänzung.

[174] Vgl. z.B. Hesiod, Erga 226.

[175] Vgl. J. Classen, Anaximander, Hermes 90, 1962, 159 ff. Mir ist keine Arbeit bekannt geworden, die gerade dies, sicher nicht unwichtige sprachliche Phänomen behandelt. Zur Entwicklung
‚abstrakter' Worte bei Hesiod vgl. J. Blusch, Form und Inhalt von Hesiods individuellem Denken,
1970, 44 ff.

[176] Zu τὸ λάμπρον vgl. z.B. Pindar N. 8, 34.

„Licht der Sonne sehen"[177]. Gesagt ist damit auch, daß die ἀβϱοσύνα von Sappho als Grundstruktur ihrer Welt bezeichnet wird und die Sonne, als das in diesem Gedicht bestimmende Element, allen Dingen ihren Glanz gibt. Bezeichnend, daß nicht sie selbst, sondern ἔϱος τὠελίω Subjekt ist. Darin findet die Frage nach dem Alter die Antwort. Die ‚Entdeckung' einer Ordnung in den für ihre Welt bestimmenden Dingen „befreit" die alternde Sappho von sich und der Zeit. Das Einzelding – jung oder alt – steht in dieser Ordnung. Damit ist der Bruch zwischen der alternden Sappho und ihrem jugendlichen Kreis aufgehoben. Nur die besondere Fähigkeit Sapphos, sich von sich selbst zu lösen und eine Situation distanziert zu betrachten und einzuordnen, ermöglicht diese Lösung. Sappho trennt sich von ihrer Welt, um auf einer anderen Stufe wieder in sie zurückzukehren. Ihre Bestätigung findet diese Interpretation in der Sprache des Gedichtes: das Phänomen des Alters tritt in seinen charakteristischen Einzelzüge aufgefächert hervor, ganz archaisch-dinglich. Die endgültige Antwort verläßt den Bereich der Einzeldinge auch in der Sprache. Immerhin erscheint der gesuchte Begriff noch dreifach auseinandergelegt und muß sozusagen eingekreist werden: Anfang einer Definition[178].

Es scheint, daß Sappho durch neue sprachliche Aussageformen dem Alter gegenüber eine besondere Position bezogen hat. Daß die „Entdeckung" dieser neuen Aussageform in einem Altersgedicht erscheint, ist nicht zufällig. Wenn die Interpretation richtig ist, so geht das, was Sappho über das Alter sagt, weit über das hinaus, was Schadewaldt als charakteristisch für die archaische Lyrik festgestellt hat[179]. Snell[180] schreibt zu diesem Fragment: „In diesem Gedicht überwindet Sappho die Hilflosigkeit des Alters (aber was soll ich machen?), indem sie sich vergegenwärtigt, daß sie sich das Wesentliche ihrer Jugend, die Freude an dem Strahlenden und Glänzenden, bewahrt hat; aber einen Versuch, dem Altern, dem Fortschreiten in der Zeit, einen eigenen Sinn zu geben, unternimmt sie nicht." Dem ist entgegenzuhalten, daß unabhängig davon, inwieweit für Sappho das Motiv der „unaufhaltsam fortschreitenden Zeit" eine Rolle spielt, die Dichterin in fr. 58 durch neue Seh- und Sprachformen ihr eigenes Altern in „sinnvollem" Zusammenhang mit ihrem bisherigen Leben beschreiben kann[181].

[177] Zum Topos vgl. z. B. Ω 558 oder Sappho fr. 56.
[178] Zu den mit τί τὸ beginnenden Rätselfragen vgl. *E. Fraenkel*, Aeschylus, Agamemnon II, 1950, 407f. Zu den von ihm angeführten Beispielen sei die Inschrift auf dem Propylon vom Letoon in Delos (vgl. *H. Gallet*, Exploration archéologique de Délos, fasc. 24, 1959, 37 ff. und 118ff.) hinzugefügt. In einen ähnlichen Zusammenhang gehört Mimnermos fr. 8 (vgl. *Treu*, Von Homer zur Lyrik 282 A. 2).
[179] In diesem Sinn ist, wie ich meine, das behandelte Fragment nicht nur zentral wichtig für das Verständnis der Lieder Sapphos, sondern ebensosehr für die Entwicklung der sprachlichen Möglichkeiten in der frühgriechischen Lyrik.
[180] *Snell*, EdG 109.
[181] Zur prinzipiellen Fragestellung (‚neue sprachliche Formen und Entwicklung des Denkens') vgl. zuletzt *B. Snell*, Tyrtaios und die Sprache des Epos, Hypomnemata 22, 1969, 7.

6. ALKAIOS

Wie bei Homer kann bei Alkaios das Alter einfach einen natürlichen Lebensabschnitt bezeichnen, den man zu erleben hofft, und der weder positiv noch negativ apostrophiert wird. So spricht er (fr. 130 G 2, v. 20 ff.), der selbst in der
Verbannung lebt, wehmütig davon, daß es seinem Vater und dessen Vater ver-
gönnt war, inmitten des Kreises ihrer Mitbürger ihr Leben bis zu einem unge-
störten Alter[182] zu verbringen. Danach sehnt sich der verbannte Alkaios. Die
geordnete Kontinuität und Geschlossenheit einer aristokratischen Gesellschaft,
die sich in der Dichtung des Alkaios überall in seiner Verbundenheit mit der
Tradition äußert, garantiert jeder Altersstufe ihren Platz, so daß das Alter nicht
per se schon als kakon erscheinen muß. Dieses Motiv, das in fr. 130 G 2 implizit
enthalten ist, muß grundsätzlich getrennt werden von dem Motiv des ,,schon in
der Jugend als drohend empfundenen Alters". Die Frage, ob dieser zweite
Aspekt bei Alkaios relevant wird, kann nicht mit Sicherheit verneint werden,
läßt sich aber ebensowenig positiv entscheiden; denn leider sind die Fragmente,
in denen Alkaios über das Alter spricht, so verstümmelt, daß sich kaum etwas Sicheres ablesen läßt.

Das Trinklied (fr. 50 B 18) ist ein Altersgedicht. Das Alter wird gemeint
durch: ,,das Haupt, das viel geduldet hat" und ,,die graue Brust"; damit ist das
Alter bezeichnet. Es werden diesem zweigliedrigen Ausdruck Vorbilder aus
dem Epos wie X 74 zugrunde liegen, nur daß eben Alkaios nicht zweimal von
,,Weiß" spricht, sondern hervorhebt, worum es wohl mehr als um das Alter
geht, nämlich um: πόλλα παθοίσας[183]. Das Alter trifft den Dichter also nicht so
sehr an sich, sondern als Endpunkt seiner politischen Mißerfolge (κάκα ἔδο-
σαν). In ähnlicher Weise scheint dies Thema auch in Fragment 33 B 1 behandelt
zu sein. Wenn die Fragmente (a), (b) und (c) wirklich zusammengehören, wofür
nicht nur der Papyrosbefund, sondern auch der inhaltliche Zusammenhang
spricht, läßt sich soviel erkennen: In ἐπόναμ[((b) 4) mag das Motiv der Erinnerung an Geleistetes oder Erduldetes im politischen Leben anklingen. Von Jugend im Gegensatz zum Alter ist die Rede in (a) 4 ἀβα[ι] ς [und (b) σκεγηρά[σ]
σ'. Die Worte in (c) 3 ἔτι γυῖα φ[έρην als Alterssymptom legen nach allem, was
wir von dieser topischen Aussage wissen, nahe, daß aus der Situation des Alters
gesprochen wird[184]. Ob Alkaios von sich selbst spricht, muß offen bleiben. Die
beiden Worte τὸ λαῖφος ((c) 4) und πλέην ((a) 6) zeigen unzweideutig, daß von
einem Schiff – als Vergleich oder Allegorie – gesprochen wird. Das Motiv des

---

[182] Ohne Bedeutung ist in diesem Fall, wie v. 21 zu ergänzen ist, da es sich in jedem Fall um das
Motiv ,Alter' handelt; vgl. *Page*, SaA 203 f.

[183] Vgl. λ 38 (πολύτλητοί τε γέροντες).

[184] Es handelt sich nicht um das Motiv: genieße die Jugend, bevor das Alter kommt. Auch das fr.
39 B 7 bringt keine Entscheidung, da das Verb zu]ευτέ με γῆρας τε[(v. 3) fehlt. Doch ist zu beachten, daß auch in diesem Gedicht neben dem Thema ,Alter' das Thema ,Politik' (v. 6) steht.

„fahrtmüden Schiffes" ist aus fr. 73 D 15 und fr. 306 X 14 bekannt[185]. Es liegt nahe, daß in fr. 33 B 1 das Schiff Bild für den alternden Menschen ist. Wenn der Vorschlag von Page richtig ist, daß in v. (a) 9 καὶ εὐωχ[gemeint ist, ist zu vermuten, daß es sich auch in diesem Fragment um ein Trinklied handelt, in dem (der alte?) Alkaios Sorgen und Alter beim Wein zu vergessen sucht. Das muß natürlich alles hypothetisch bleiben. Wesentlich anders als in fr. 50 B 18 aber scheint der Gedankengang auch hier nicht gewesen zu sein. Das Alter scheint unmittelbar mit dem Gedanken an Erfolg und Mißerfolg im politischen Handeln verbunden. Weniger Altenklage als Trauer darüber, daß nicht einmal jetzt der langersehnte politische Sieg eintritt. Wichtig dabei ist, daß sich diese Gedichte nicht wesentlich von den anderen Trinkliedern (z. B. fr. 38 B 6) in ihren Motiven unterscheiden, die sicher keine Altersgedichte sind. Die Grundsituation scheint dieselbe: die erlittenen Übel sollen für den Augenblick beim Gelage vergessen werden. Der Thymos des Dichters scheint im Jugend- und Altersgedicht derselbe zu sein. Bestätigt wird diese Vorstellung durch Fragment 442 Z 119[186]:

> τοῦτο δὲ καὶ παροιμιακῶς λέγεται, ὅτι ὁ θυμὸς ἔσχατον
> γηράσκει. λέγεται δὲ διὰ τοὺς πρεσβυτέρους· ὅτῳ γὰρ γηράσκουσι
> τὸν θυμὸν ἐρρωμενέστερον ἔχουσι. καὶ Ἀλκαῖος ὡς λεγομένου
> κατὰ τὸ κοινὸν αὐτοῦ μιμνῃσκεται.

Aus dem Scholion und Suidas wird soviel deutlich: in einem seiner Gedichte muß Alkaios sentenzartig über den Thymos gesprochen haben. Daß das Wort Thymos bei Alkaios gestanden hat, ist sicher, da sich das Scholion offensichtlich gerade an dieses Wort anlehnt. Weniger sicher ist, was Alkaios über den Thymos ausgesagt hat. Aber wesentlich anderes, als daß er dem Alter nicht oder nur ganz zum Schluß unterworfen ist[187], kann im Gedicht nicht gestanden haben. Treu schreibt zu diesem Fragment: „So stark auch sie (scl. Sappho und Alkaios) ihre Hilflosigkeit und ihr Preisgegebensein empfinden, sie sagen nie, daß die Zeit über sie Gewalt hätte, es sei denn, in vitaler Hinsicht. Das Alter, gewiß, verändert die Menschen äußerlich und nimmt dem Leben vieles; und dem, was bestimmt ist, kann man nicht entfliehen. Auch der Thymos altert, wenn auch ganz zuletzt. Aber nie ist gesagt, daß das Alter auch Gewalt über ihren Sinn, über ihr φρονεῖν hat"[188]. Wie wichtig besonders die letztere Feststellung ist, zeigt die völlig gegensätzliche Einstellung des Mimneros, der vom Alter sagt (fr. 5,5;):

> βλάπτει δ' ὀφθαλμοὺς καὶ νόον ἀμφιχυθέν.

---

[185] Zu τὸ λαῖφος vgl. 326 Z 2, 6.
[186] Nicht einzusehen ist, warum *Diehl* in seiner Edition dieses Fragment ausläßt.
[187] Die immer als Parallele zitierte Stelle Soph. O. C. 954 unterscheidet sich darin, daß erst der Tod den Thymos auflöst und die Bedeutung von θυμός in der zitierten Sophoklesstelle nicht dem Wortgebrauch des Alkaios entspricht.
[188] *Treu*, Von Homer zur Lyrik 225 f.

Wenn Alkaios dagegen vom Thymos erklärt, daß er nicht altert, oder doch erst ganz zuletzt, so könnte man dies Wort als Motto über seine spätere Dichtung stellen. Vorstellbar wäre, daß Alkaios als alternder Mann, z. B. in einem politisch-sympotischen Gedicht zwar eingesteht, daß es mit seinen körperlichen Kräften nicht mehr weit her ist, aber auch zugleich seinen Gegnern zu verstehen gibt, daß seine psychische Vitalität[189] ungebrochen auch im Alter weiterbesteht. Mit dieser Fähigkeit, die Konstanz seiner persönlichen Lebensform zu erhalten, steht er der sonst so verschiedenen Sappho nahe.

Es ist sehr wenig, was sich den Fragmenten für unser Thema abgewinnen läßt[190]; nur soviel wird man mit einiger Sicherheit über die Stellung des Alkaios zum Alter sagen können:

1. das Alter allgemein erscheint ganz homerisch „wertfrei", wenn es als Lebensabschnitt im Rahmen einer festen und geordneten sozialen Struktur betrachtet wird.
2. Das Motiv des schon in der Jugend als drohend empfundenen Alters, das damit per se zum kakon würde, ist in den erhaltenen Fragmenten des Alkaios nicht nachzuweisen.
3. Das Alter wird in den Trinkliedern als Punkt angesehen, von dem aus auf das politische Tun geblickt wird.

Dieser Blick kennzeichnet auch die Gedichte des Alkaios, in denen das Alter keine Rolle spielt. Das Alter allein scheint nirgends thematisch geworden zu sein. Eine gewisse Konstanz des Thymos wird durchgehalten.

7. IBYKOS

Eine ganz spezifische Form der „Altersklage" findet sich in den Fragmenten des Ibykos; der Widerspruch: Alter—Liebe und die Aporie, die sich aus der Situation des „Unzeitgemäßen" ergibt, werden in den zwei bekannten Bildern (Frühling/Winter fr. 286; alterndes Rennpferd fr. 287) mit einer Intensität erfaßt, die vor Ibykos nicht belegbar ist, einer Intensität, die zum großen Teil auch durch eine neue formale Tektonik im Liederaufbau bedingt ist. Ibykos galt der Tradition als der ἐρωτομανεύτατος[191] unter den griechischen Dichtern; entsprechend schonungsloser und verzweifelter[192] ist die Klage dessen, der auch im

---

[189] Zur Bedeutung von Thymos als ‚geistiger Energie' des Menschen vgl. *B. Snell,* Tyrtaios und die Sprache des Epos, Hypomnemata 22, 1969, 9ff.

[190] Auch der Inhalt von fr. 119 F 5 läßt sich nicht eindeutig festlegen. Schon die Frage ‚allegoriam ad puellam vel ad rem publicam' wage ich nicht zu entscheiden. *W. Barner* (Neue Alkaiospapyri aus Oxyrinchos, Spudasmata 14, 1967, 29 A. 3) merkt zu dem Fragment an: „Es scheint so, als seien Jahreszeiten und Menschenalter in fr. 119 unmittelbar parallelisiert, am deutlichsten in v. 9 ... mit χρόνος als persönlicher Zeit". Nichts könnte als Stütze für unsere Alkman- und Ibykosinterpretation gelegener kommen, wenn sich nur die Vermutung von Barner sichern ließe.

[191] Suda s. v. Ἴβυκος.

[192] βοᾷ καὶ κέκραγεν sagt Athenaios XIII, 601 b.

Alter den Blicken des Eros und den Netzen der Aphrodite nicht entkommt, über die hoffnungslose Verfallenheit in den beiden Fragmenten[193].

Daß das fr. 287 ein Altersgedicht ist, steht außer Zweifel. Umstritten ist in dieser Hinsicht die Interpretation von fr. 286. Fränkel, der Struktur und Gedankenführung der beiden Fragmente eingehend analysiert hat[194], hält auch fr. 286 für ein Altersgedicht, denn er paraphrasiert den zweiten Teil dieses Fragmentes folgendermaßen:

„Dem Dasein des Ibykos ist die Segnung des geordneten Ablaufs der Jahreszeiten versagt; zu ihm kommt die Liebe nicht im milden Frühling einer wohlig geborgenen, frischen Jugend, sondern im grimmigen Wintersturm (vgl. Sappho Fgt. 47) dürren Alters, der über offene Weiten daherbraust."[195] Ganz anders interpretiert Bowra: „The wind blows from Thrace as it does in Homer; it is not a winter wind, which can at least be foreseen, but a stormy wind that may blow in or out of season, the modern μελτέμι that scourges the Aegean even in summer. It is ἀθαμβής, that is ἀναιδής; it is aflame with lightning, because it brings sudden storms; it is ἐρεμνός, because it darkens the sky. Each detail comes directly from nature but is no less effective as imagery, and may be pressed for its meaning in the context. Ibycus is scourged and smitten by love; his spirit is struck by its lightning and clouded by its gloom, until the quivers all over like a tree shaken from its roots by the wind."[196]

Diesen Widerspruch der Interpreten zu klären, ist für die Auffassung des ganzen Fragmentes wichtig. Denn entweder spricht Ibykos allgemein von der Liebe, wie sie ihn immer wieder ganz unabhängig von seinem Lebensalter ergreift, oder die Liebe ist hier wie in fr. 287 unter einem sehr spezifischen Aspekt gesehen: sie wird erst so quälend und ungeordnet bedrohlich, weil sie den Dichter auch im Alter nicht freigibt, d. h. diese Verse gehören zu einem Altersgedicht und müssen unter diesem Aspekt betrachtet werden. Wie mir scheint, läßt sich die Frage im Sinne der Interpretation Fränkels entscheiden.

An den Anfang der Verse ist thematisch das Wort ἦρι gestellt. Es folgt das breit entwickelte Bild, das mit dem abschließenden θαλέθοισιν wieder direkt

---

[193] Es können die beiden vielbehandelten Fragmente hier nicht erneut ausführlich interpretiert werden. Vielmehr sollen nur die Punkte hervorgehoben werden, die für den vorliegenden Themenzusammenhang von Bedeutung sind. Eine ausführliche Bibliographie ist zusammengestellt bei *F. Mosino*, Ibico, Testimonianze e Frammenti, 1966, 111 ff.; besonders hinzuweisen ist auf die Arbeit von *K. Dietel*, Das Gleichnis in der frühgriechischen Lyrik, Diss. München 1939, 115 ff.; zum ‚neuen‘ Stil des Ibykos s. A. 194 und A. 197; zu fr. 286 vgl. *J. Trumpf*, Kydonische Äpfel, Hermes 88, 1960, 14 ff.; *M. L. West*, Conjectures on 46 Greec poets, Philologus 110, 1966, 153. West schlägt vor, φυλάσσει (v. 12) in λαφύσσει zu ändern. Gegen diese Änderung hat sich ausgesprochen *B. Gentili*, Metodi di Lettura, QU 4, 1967, 177. Zu fr. 287 vgl. *B. Gentili*, Sul testo del fr. 287 di Ibico, Klearchos 6, 1964, 57 ff.

[194] *Fränkel*, WuF 43 ff. und DuPh 323.

[195] *Fränkel*, DuPh 324.

[196] *Bowra*, GLP 262.

zum Anfang zurückführt[197]. Frühling und Blüte geben den allgemeinen Rahmen, in den sich die Details einfügen. Frühling und Blüte aber führen auch zur Antithese: „aber mir läßt der Eros zu keiner Zeit Ruhe."

Zunächst sagt das nur, daß Ibykos immer der Liebe unterworfen ist. Die Antithese jedoch, die in diesem Sinn bei Sappho fehlt, fordert, daß mit οὐδεμίαν ὥραν insbesondere eine andere Jahreszeit gemeint ist, der ruhiges Blühen und Reifen fehlt. Zu jeder (Lebens-)Jahreszeit ist Ibykos der Liebe ausgeliefert, auch – und nicht weniger stark – im (Lebens-)Winter. Dem entspricht nun ganz das zweite Bild: Eros – thrakischer Nordwind. Daß damit der Wintersturm gemeint ist, geht schon aus dem antithetischen Bau des Ganzen hervor. Darüber hinaus und unabhängig von unserem Fragment muß dem griechischen Hörer schon allein durch den Begriff 'Thrakischer Boreas' die Assoziation: Winter nahegelegen haben. Das erweist ein Hesiodpassus, der – soweit ich sehe – bisher für das Verständnis dieser Fragmente noch nicht ausgewertet wurde. In den Erga 504–563 beschreibt Hesiod die Wintermonate. In dieser Schilderung (sowohl am Anfang 506 ff. wie am Ende 547 ff.) wird der Winter durch den Einfall des thrakischen Nordwindes gekennzeichnet, dessen Erscheinungs- und Wirkungsweise ausführlich und detailliert dargestellt wird. Der thrakische Nordwind ist das Kennzeichen für den Winter. Alles spricht dafür, daß auch Ibykos ihn als solches gemeint hat, womit nicht geleugnet werden soll, daß in dem Bild des Wintersturmes auch der Aspekt des jäh und wild Hereinbrechenden zu assoziieren ist, wie er ja auch bei Hesiod deutlich zum Ausdruck kommt[198]. Aber unter diesem Aspekt soll eben nicht die Liebe allgemein gesehen werden, wie Bowra meint, sondern Eros, wie er in der ihm nicht entsprechenden Jahreszeit des (Lebens-) Winters auftritt. Es zeigt sich, daß der antithetische Bau des Fragmentes jedes Einzelmotiv bestimmt. Frühling – Jugend, der Zeit ruhiger Liebe und Erfüllung, steht Winter – Alter gegenüber, eine Zeit, der Blühen und Reifen versagt ist.

Nicht zu vernachlässigen ist ferner der Kontext, innerhalb dessen das Fragment von Athenaeus zitiert wird. Bei Aufzählung der griechischen Dichter, die als ἐρωτικοί zu bezeichnen sind, folgen auf das Ibykos-Zitat in unmittelbarem Anschluß folgende Stellen (XIII, 601 B/C):
1. Pindar fr. 127

εἴη καὶ ἐρᾶν καὶ ἔρωτι χαρίζεσθαι κατὰ καιρόν·
μὴ πρεσβυτέραν ἀριθμοῦ δίωκε, θυμέ, πρᾶξιν.

---

[197] Zur Schlußstellung des Verbes bei Ibykos und der damit verbundenen neuen Stiltektonik vgl. *Fränkel*, WuF 46 und DuPh 325 A. 13.

[198] Die Beschreibung des Boreas bei Hesiod stimmt in vielen Zügen so mit dem überein, was Ibykos über Boreas-Eros sagt, daß eine direkte Abhängigkeit nicht ausgeschlossen werden sollte. Auch die Antithese, die für fr. 286 so bestimmend ist, liegt schon bei Hesiod vor (vgl. z. B. Hesiod, Erga 559).

2. Timon

ὥρη δ'ἐρᾶν, ὥρη δὲ γαμεῖν, ὥρη δὲ πεπαῦσθαι
ἥνικ' ἐχρῆν δύνειν, νῦν ἄρχεται ἡδύνεσθαι

und 3. Pindar fr. 123 (Theoxenosfragment).
Die verschiedenen Fragmente stehen alle unter dem Motto:

ἐρᾶν κατὰ καιρὸν σὺν ἁλικίᾳ

(Pindar fr. 123,1) und alle beziehen sich in irgendeiner Weise auf die Lebensalter. Genau in diese Reihe gehört auch das Ibykosfragment, so daß auch von daher eine Interpretation im Sinne Bowras unwahrscheinlich wird. Ibykos, der auch im Alter der Liebe verfallen bleibt, kann die Forderung des κατὰ καιρόν nicht erfüllen.

Festzuhalten ist also, daß Eros, so wie er sich hier im Bild des thrakischen Boreas darstellt, nicht allgemein, sondern unter dem Aspekt des Unzeitgemäßen vom Alter her beschrieben wird. Die Aussagen über die Liebe und das Alter relativieren sich also gegenseitig: Eros ist bedrückend, insofern er im Alter unzeitgemäß kommt; das Alter ist quälend, insofern es nicht die rechte Zeit für Eros ist. Damit erweisen sich fr. 286 und fr. 287 nicht nur in ihrer Struktur, sondern auch ihrem Inhalt und der Situation nach parallel. Daß in fr. 286 Eros mehr als der gewalttätig und unbarmherzig unter seiner Herrschaft zwingende Tyrann, in fr. 287 mehr als der schmeichelnd Verführerische erscheint, zeigt nur zwei Seiten derselben Sache. Wichtig ist freilich der Unterschied, daß in fr. 287 Ibykos sich selbst im Bild des alten Rennpferdes[199] zeichnet, so daß das Motiv ,,Alter", das in fr. 286 nicht direkt ausgedrückt wird, stärker zum Tragen kommt. Der Grundgedanke aber ist in beiden Fragmenten: Eros läßt den Dichter auch im Alter nicht frei. Erst durch dies Unzeitgemäße wird das Alter zur Last, besonders bedrückend deswegen, weil ein Ausweichen unmöglich erscheint. Das αὖτε (287,1), der sich stetig wiederholende Zugriff des Eros, wird auch in Zukunft nicht ausbleiben, das alte Rennpferd wird immer wieder zum Kampf antreten müssen. Der Gegensatz soll in aller Schärfe mitgehört werden: das Pferd hat eine glanz- und ruhmvolle Vergangenheit. Es gab eine Zeit, in der es voller θυμός zum Kampf strebte und zum Sieg kam. Um so schmerzlicher wird die Gegenwart, die nicht zum Sieg und zur Erfüllung führen kann, sondern in der Klage über das fruchtlose Mühen endet.

Der Zustand, den Ibykos an sich selber beschreibt, muß als ,,atypisch" bezeichnet werden gegenüber dem postulierten ,,Normalverhalten" des ἐρᾶν κατὰ καιρόν. Erst auf diesem Hintergrund erhält die Klage des Dichters ihre ganze Schärfe. Vorausgesetzt ist die Erkenntnis, daß jedem Lebensabschnitt ein bestimmter Kairos zugeordnet ist. Dem steht die persönliche Erfahrung des

---

[199] Zum Tiervergleich vgl. *U. v. Wilamowitz-Moellendorff*, Euripides, Herakles, 1895, zu v. 120 und *Snell*, EdG 279.

Dichters entgegen, der sich – im Gegensatz zum „Allgemeinverhalten"[200] – den Verstrickungen durch Eros auch im Alter nicht entziehen kann. Durch diese Verknüpfung erst – nicht schon per se – wird für ihn das Alter zur Qual[201]; diese Verknüpfung ist es aber auch, die der Klage über das Alter eine bis dahin unbekannte Intensität verleiht.

8. ANAKREON

Die Lieder des Anakreon adäquat zu beurteilen, ist nicht einfach, da es dieser Dichter wie kein frühgriechischer Lyriker vor ihm und kaum einer nach ihm versteht, den Hörer zu überraschen und auch oft genug in die Irre zu leiten im Spiel indirekter Aussagen und Andeutungen, durch überlegene Selbstironie, die voller Charis den Gedanken oft in ganz unerwarteter Richtung gleiten läßt und sich der festlegenden Interpretation entzieht. Auch für die Fragmente, in denen Anakreon über das Alter spricht, ist diese Eigenart des Dichters bestimmend; so verwundert es nicht, daß seine „Altersgedichte" in der wissenschaftlichen Literatur sehr verschieden beurteilt werden[202]. Lesky schreibt: „Auch dort, wo der Dichter über das eigene Alter klagt, klingt diese Klage w e i c h und v e r h a l t e n."[203] Dem steht das Urteil Fränkels über fr. 395 entgegen: „W e h l e i d i g und überdies b a n a l, wirken diese Verse p e i n l i c h, auch wenn man, um allen Möglichkeiten gerecht zu werden, eine Ironie des Dichters in sie hineinliest, der sein Selbstmitleid selbst noch belächelt. Welch ein Gegensatz zu Mimnermos, der sich den Tod herbeiwünscht für den Augenblick, wo ihn im Alter die beseligende Liebeskraft verlassen würde!"[204] Zu demselben Fragment schreibt Bowra: „Anacreon allows himself no illusions and no consolations about old age or death. What troubles him in the first is the decay of his body and in the second the unknown horrors that may be in store. He does not comfort himself with the common Greek notions that age makes amends by the experience which it brings and that is at least a release from troubles. But even so he is n o t t o s o l e m n about

[200] *Fränkel*, DuPh 324 A. 11 weist darauf hin, wie sehr sich Ibykos von den anderen frühgriechischen Dichtern abzuheben versucht. Damit stellt sich die Frage nach der ‚Subjektivität' in der frühgriechischen Lyrik. Zu diesem vieldiskutierten Problem kann hier nicht Stellung genommen werden. Sicher festzustellen ist aber, daß mit der Dichtung des Ibykos eine schärfere Polarisierung zwischen Dichter und Umwelt einsetzt.

[201] Da von der Dichtung des Ibykos so wenig erhalten ist, wird man vorsichtig sein mit der Behauptung, auch bei ihm werde das Alter erst im Altersgedicht thematisch. Wenig läßt sich in diesem Zusammenhang über fr. 342 sagen, da unbekannt ist, was eigentlich in der Geschichte über das verlorene Heilmittel gegen das Alter stand.

[202] Bibliographie bei *B. Gentili*, Anacreon, 1958, XXXI ff. und *M. Treu*, RE Suppl. 11, 1968, 30 ff.

[203] *A. Lesky*, Geschichte der griechischen Literatur, 1963², 202.

[204] *Fränkel*, DuPh 342. Dieses vernichtende Urteil entspricht übrigens keineswegs Fränkels allgemeiner Einstellung zum Werk des Anakreon. Es muß ein Relikt jener Tendenz sein, die ihn früher veranlaßte, die Echtheit des Fragmentes zu bezweifeln (vgl. *Fränkel*, DuPh 342 A. 26).

it, but speaks of it without exaggeration, almost with accentance[205]. Dem
steht das Urteil Snells entgegen, der dieselben Verse ein „krasses und er-
schreckendes Geständnis" nennt[206]. Die Schwierigkeit über die Stimmung
eines Gedichtes den Konsens der Interpreten zu erreichen, zeigt sich in diesem
Fall deutlich, eine Schwierigkeit, die auch die vorliegende Untersuchung nicht
beseitigen kann. Doch führt vielleicht eine Strukturanalyse der beiden Fragmente weiter. Zunächst Fr. 358:

σφαίρηι δηὖτέ με πορφυρῆι
βάλλων χρυσοκόμης ῎Ερως
νήνι ποικιλοσαμβάλωι
συμπαίζειν προκαλεῖται·
ἡ δ', ἔστιν γὰρ ἀπ' εὐκτίτου
Λέσβου, τὴν μὲν ἐμὴν κόμην,
λευκὴ γάρ, καταμέμφεται,
πρὸς δ' ἄλλην τινὰ χάσκει.

Eros fordert wieder – wie schon so oft – den Dichter zum Spiel der Liebe mit einem jungen Mädchen auf. Diesem aber – es stammt von Lesbos – mißfällt des
Dichters Haar – denn es ist weiß. Ihre Aufmerksamkeit richtet sich auf „etwas
anderes". Demnach würde dem verliebten Anakreon bei seiner Bewerbung das
Alter einen Strich durch die Rechnung machen. Das Mädchen zieht „etwas anderes" vor.

Vom Verständnis dieses letzten, vieldiskutierten Satzes hängt die Interpreta-
tion des Ganzen ab. Communis opinio war lange Zeit, daß ἄλλην zu ἄλλον um-
zuändern oder im Sinn von πρὸς δ' ἄλλου τινὸς κόμην zu verstehen sei, eine
Meinung, die noch von Fränkel und Gentili[207] vertreten wird, obwohl Page im
Jahr 1955 bereits[208] eine andere Interpretation vorgeschlagen hat, die dem
Fragment besser gerecht wird. Page versteht ἄλλην ohne Umwege: ein anderes
Mädchen. Er begründet diese Interpretation so: „These lines have often been
absurdly misunderstood. This fashionable young person may choose her admirers at will: she scorns Anacreon because he is too old; the listener is ready to
hear that she will turn from him to a younger man. But Anacreon, having prepa-
red the way by the apparently casual mention of her native island, turns his re-
buff to her discomfiture by the unexpected jest at the end – the real reason for her
scorn is not that he is old, but that he is a man."[209] Die durch Pages Deutung ge-

[205] *Bowra*, GLP 306.
[206] *Snell*, EdG 109.
[207] *Fränkel*, DuPh 333; B. *Gentili*, Anacreon, 1958, z. Stelle.
[208] *Page*, SaA 143; Bowra, GLP 285.
[209] *Page*, SaA 143 A. 3. Die verschiedenen Positionen sind zusammengestellt bei J. A. *Davison*,
Anacreon, fr. 5 D., TAPhA 90, 1959, 40 ff. und *M. H. da Rocha-Pereira*, Anakreon, Altertum 12,
1966, 86. M. L. *West*, Melica, ClQu 20, 1970, 209 versteht zwar ἄλλην im Sinne von ‚ein anderes
Mädchen', leugnet aber den erotischen Hintergrund und nimmt damit dem v. 5 f. die Pointe (vgl. A.
222).

wonnene Schlußpointe entspricht dem Gedankenablauf des ganzen Fragmentes besser als die traditionelle Interpretation. Denn schon der ganze erste Teil (v. 1–4) mit dem ballwerfenden Eros, dem Mädchen, das auf seine schönen Sandalen so stolz ist, schafft eine leichte und verspielte Atmosphäre[210]. Dem entspricht, daß δηὖτε (v. 1) seine ursprüngliche Intensität verloren hat und nur noch unbeschwert-verspieltes und wohl auch erwünschtes Sich-immer-Wiederholen bezeichnet, wie Snell mit Recht betont hat[211].

Noch deutlicher weist in dieselbe Richtung der zweite Teil des Fragmentes (v. 5–8). Daß der Gedankenablauf zweimal paranthetisch durch γάρ-Sätze unterbrochen wird, ist ungewöhnlich (ἔστιν γὰρ ἀπ' εὐκτίτου Λέσβου wird im folgenden durch A, λευκὴ γάρ durch B bezeichnet). In welchem Verhältnis A und B zueinander stehen, ist für die Interpretation entscheidend. Daß Anakreon nicht einfach sagt: „sie verachtet meine weißen Haare", zeigt, wie bewußt er gerade dieses Motiv heraushebt. Dadurch ergibt sich für beide Beteiligten, das Mädchen und Anakreon, je ein eingeschobener Begründungssatz, A und B, die formal parallel konzipiert sind. Der Hörer kann also, wenn er A gehört hat, nicht wissen, wohin der Satz zielt. Was er eigentlich begründet, bleibt unbestimmt. B dagegen ist unmittelbar einleuchtend: das Haar ist weiß, Anakreon alt. Der Hörer muß zunächst schließen: deswegen mißfällt er ihr. Καταμέμφεται wäre durch B hinreichend begründet. Das Begründungsverhältnis wird formal noch dadurch herausgehoben, daß B in seiner exponierten Form im selben Vers direkt vor dem entscheidenden Verb steht. Der Hörer erwartet – was naheliegt –, daß das Motiv Alter weitergeführt wird durch den Gegensatz: das Mädchen zieht einen Jüngeren vor. Aber offen steht immer noch, was A begründen soll. Es bleibt nur der letzte Vers, der den Schluß nahelegt: ein Mädchen ist die Favoritin! Der Ring schließt sich: der erste Begründungssatz A überholt den zweiten, B, und führt zur Pointe[212]. Daß dieser verschränkte Stil, der nicht mehr nur eines an das andere reiht, sondern einen ganzen Gedankenkomplex in eine über mehrere Verse gespannte Aussage zusammenrafft, im 6. Jahrhundert möglich ist, hat Fränkel[213] gezeigt. Man könnte sogar fragen, ob nicht Anakreon den

---

[210] Zu συμπαίζειν vgl. fr. 357,4.

[211] *Snell*, EdG 101.

[212] Jede Interpretation, die die Frage vernachlässigt, was denn eigentlich durch den eingeschobenen Satz ἔστιν γὰρ ἀπ' εὐκτίτου Λέσβου begründet werden soll, muß deswegen abgelehnt werden. Aber wenn *Fränkel* (DuPh 333 A. 4) den γάρ-Satz damit zu erklären versucht, daß die Heimat der Musikantin hier erwähnt sei, weil die Insel für die Qualität der Musiker, die sie hervorbrachte, berühmt war, muß gefragt werden, was dies mit der Verachtung gegenüber dem alternden Anakreon zu tun haben soll; man müßte dann schon annehmen, Anakreon werde als der schlechtere Musiker verachtet, wofür sich im Fragment nicht der geringste Hinweis findet. Dasselbe gilt für die Deutung von *West* (Melica, ClQu 20, 1970, 209), der schreibt: „The implication is that the Lesbian girls can afford to be choosey, they have young admirers enough to pick up." Aber warum sollte das nur für die jungen Mädchen von Lesbos gelten?

[213] Vgl. hier A. 193–195.

Schlußvers bewußt zweideutig gehalten hat, so daß die Übertragung von Zoltan
v. Franyo bei Snell ins Schwarze trifft:

> „Doch die Kleine vom stolzen Land
> Lesbos sieht mein ergrautes Haar
> Sehr verächtlich und gafft entzückt
> Hin nach anderen Reizen."

Auch χάσκει scheint mir in dieser Übersetzung treffend wiedergegeben, denn
es ist ein derbes Wort (vgl. Sol. 1, 36; Sem. 7, 110)[214] und bildet – auch durch die
Schlußstellung – formal die äußerste Steigerung der Pointe.

Ist diese Interpretation richtig, so zeigt sich, in welch überraschender Weise
mit dem Gegensatz Jugend/Alter gespielt wird. Das Alter des Sprechers ist für
das junge Mädchen nur ein Scheinvorwand, um die Werbung abzulehnen – zumindest nach der Intention des Sprechers, der das traditionelle Motiv der
Altersklage ironisiert und durchblicken läßt, daß sich Alter und Liebe eigentlich
nicht ausschließen müssen, ein Standpunkt, der im schärfsten Gegensatz zu dem
des Ibykos steht. Das läßt sich schon an dem unterschiedlichen Bedeutungsin-
halt von δηὖτε bei Ibykos fr. 287 und Anakreon fr. 358 ablesen. Für Anakreon
scheint das Leben auch im Alter seinen Reiz nicht zu verlieren.

In ähnlich leichtem Ton wie das behandelte Gedicht ist auch fr. 379 gehalten.
Eros fliegt am alternden Dichter vorbei. Vielleicht war auch in diesem Gedicht
noch eine versteckte Werbung ausgesprochen. Aber Sicheres läßt sich nicht erschließen, da der Zusammenhang fehlt. Auch fr. 418, in dem der alte Anakreon –
wenn er wirklich selbst der Sprechende ist – eine für uns nicht erkennbare Göttin[215] anruft, gibt keinen sicheren Anhaltspunkt, da nur dieser eine Vers überliefert ist. Bemerkenswert ist nur, daß hier der Bittende sein Alter in die Anru-
fungsformel einbezieht. Das ist ungewöhnlich[216], kann aber nur so interpretiert
werden, daß die zu ergänzende Bitte in irgendeiner Weise auch das Alter be-
traf[217]. In welcher Weise dies ausgeführt wurde, bleibt unbekannt.

Die wichtigste, wenn auch sehr umstrittene Quelle für den Fragenkomplex ist
fr. 395

> πολιοὶ μὲν ἡμὶν ἤδη
> κρόταφοι κάρη τε λευκόν,
> χαρίεσσα δ' οὐκέτ' ἤβη
> πάρα, γηράλεοι δ' ὀδόντες,

---

[214] Der grob obszönen Deutung des Wortes durch *M. Wigodsky* (Anacreon and the girl from
Lesbos, ClPh 1962, 109) hat sich *G. Giangrande* (Sympotic litterature and epigram, in L'epigramme
greque, Entr. Fond. Hardt 14, 1968, 93) angeschlossen. Berechtigten Widerspruch gegen diese Interpretation hat *Labarbe* (ebenda 176) erhoben.

[215] Vgl. *Fränkel*, DuPh 345.

[216] Gewöhnlich steht in der Formel an dieser Stelle εὐχομένου (-ῳ) o. ä.

[217] Vielleicht ähnlich wie in dem anonym überlieferten Fragment Alkm. 66 D. (= 168 Garzya =
Carm. popul. 827 Page); dort wird an Aphrodite die Bitte gerichtet, sie möge das Alter aufschieben.

γλυκεροῦ δ᾽ οὐκέτι πολλὸς
βιότου χρόνος λέλειπται·
διὰ ταῦτ᾽ ἀνασταλύζω
θαμὰ Τάρταρον δεδοικώς·
᾽Αίδεω γάρ ἐστι δεινὸς
μυχός, ἀργαλῆ δ᾽ ἐς αὐτὸν
κάτοδος· καὶ γὰρ ἑτοῖμον
καταβάντι μὴ ἀναβῆναι.

Wie fr. 358 gliedert sich fr. 359 in zwei deutlich voneinander abgesetzte Teile.
Der erste legt die Situation fest: Anakreon ist alt. Die Haare sind weiß, die Jugend vorbei, die Zähne alt, und überhaupt wird das Leben nicht mehr lange dauern. Der zweite Teil beschreibt die aus der geschilderten Situation entspringende Furcht vor dem Tod. Anakreon hat ordentlich Angst vor diesem unheimlichen Abgrund des Hades, aus dem es keine Rückkehr gibt.

Auffällig ist, daß im Unterschied zu den bisher behandelten Altersgedichten aus der frühgriechischen Lyrik die Angst vor dem Tod in diesem Fragment eine besondere Rolle spielt und die Altersklage dementsprechend modifiziert ist.

Mit dem „Signalwort" πολιοί beginnt das Lied. Das Reservoir der Topoi bei der Altersbeschreibung in der frühgriechischen Dichtung hat sich als verhältnismäßig klein erwiesen[218]. πολιοί und auch ἤδη gehören dazu. Der zeitgenössische Hörer wußte damit schon nach dem ersten Vers, um welches Thema es geht. Daß das Motiv „weiße Haare" in zwei Einzelzüge aufgegliedert wird, war ebenfalls vorgegeben[219], nur daß Anakreon nicht vom „weißen Bart", sondern von den „weißen Schläfen" spricht. Aber neu ist, wie durch die Wortstellung (πολιοί und λευκόν als Klammer an Anfang und Ende, κρόταφοι und κάρη ohne Trennung nebeneinander) der Topos intensiviert wird. In v. 3 wird die Schilderung der Alterssymptome nun nicht einfach so fortgesetzt, wie wir es bei Sappho ganz im Sinne des reihenden Stils kennengelernt haben, sondern der Satz χαρίεσσα δ᾽ οὐκέτ᾽ ἤβη πάρα wird eingeschoben, in derselben Art wie die parenthetischen Begründungssätze in fr. 358. Die Verbindung zwischen v. 1–2 und v. 3 schafft vom Wort her οὐκέτι, das negative Korrelat zu ἤδη[220]. Dann erst wird mit v. 4 die Schilderung der Alterssymptome fortgesetzt: auch die Zähne sind alt[221]. Während das Alter also an seinen äußeren Symptomen gezeigt wird,

---

[218] Vgl. S. 111 ff.
[219] Vgl. z.B. Tyrt. fr. 7, 23.
[220] Vgl. hier A. 158.
[221] Der ‚Realismus' dieser Aussage hat erschreckend gewirkt, doch ist zu fragen, wieweit er hier bewußt eingesetztes Stilmittel ist. Jugend und Gesundheit werden von Anakreon (fr. 404) nebeneinander angeführt; das ist im Grunde nur der Gegensatz zu dem alten Motiv: Alter–Krankheit. Zur Verbindung Jugend/Gesundheit–Alter/Krankheit vgl. *E. Kornexel*, Begriff und Einschätzung der Gesundheit des Körpers in der griechischen Literatur von ihren Anfängen bis zum Hellenismus, 1970.

ohne daß es Anakreon als Ganzes irgendwie in e i n e n Begriff zusammenfaßt²²², stellt sich die Jugend einfach als χαρίεσσα ἥβη dar. Äußere Symptome werden nicht angeführt; das, was einmal war, erscheint als Ganzes, das nicht mehr ist. Schon hier wird deutlich, daß die Jugend nicht als Gegensatz zum Alter im traditionellen Sinn konzipiert ist. In v. 5 kehrt der Gedanke nicht zur Jugend zurück. Würde Anakreon dem Schema Gegensatz Alter – Jugend folgen, wäre das zu erwarten gewesen. Vielmehr wird der Gedanke erweitert: nicht ἥβη ist in v. 5–6 Thema, sondern βίοτος, d. h. das Leben überhaupt. Plötzlich, aber doch durch den verschobenen Stellenwert von ἥβη vorbereitet, schließen sich Jugend und Alter zu einem Ganzen zusammen, das γλυκερὸς βίοτος genannt wird. Aus der Sicht des alternden Dichters wird dieser in seiner Kürze – die eben nicht mehr nur die Jugend betrifft – zum vexierenden Problem. Die entscheidenden Worte (γλυκεροῦ βιότου) bilden jeweils Versanfang. Daß dabei βίοτος formal genau wie ἥβη eingeführt wird (χαρίεσσα δ᾿ οὐκέτι – γλυκεροῦ δ᾿ οὐκέτι), obwohl Anakreon einen neuen Gedanken hineinspielen läßt, entspricht wieder fr. 358. Daß das Motiv: weiße Haare und der Gedanke βίοτος jeweils zwei Verse einnehmen, zwischen die sich ebenfalls in zwei Versen das Motiv Jugend und ein Alterssymptom schiebt, kann nicht zufällig sein. Das Verhältnis von χαρίεσσα zu γλυκεροῦ zu bestimmen, ist schwierig. Aber so viel wird man sagen können, daß γλυκεροῦ das Unbestimmtere ist und durch χαρίεσσα mehr die Wirkung auf die Umwelt betont wird, während in γλυκεροῦ der direkte Bezug zur Person des Sprechers hervortritt²²³.

Die Struktur des Gedankens ist deutlich: von den Einzelsymptomen des Alters über die Zwischenstufe Jugend zum Blick auf das Lebensganze. Das Fortschreiten des Gedankens ist also nicht von einfachen Gegensätzen bestimmt. Dabei ermöglicht die schon angeführte Tatsache, daß Anakreon die Jugend nicht in Einzelzügen, sondern als Ganzes beschreibt, daß nicht Alter–Jugend als Gegensätze thematisch, sondern unter dem Begriff βίοτος zusammengeschlossen werden, der als Ganzes gegenüber dem Tod γλυκερός ist.

Der zweite Teil beginnt mit „deswegen stöhne ich oft in meiner Angst vor dem Tartaros" (v. 7). Die vier nächsten Verse füllt die Hadesschilderung. Durch das διὰ ταῦτα erst wird dem Hörer klar: die Verse 1–6 sollen weniger eine Klage über das Alter sein; sie zielen vielmehr auf etwas anderes: die Angst vor dem Tod. Hier erreicht die Tendenz, vom Einzelnen und äußeren Symptom zum Allgemeinen, und – eine entscheidende Wendung – zum Inneren zu kommen, ihren Gipfel. Auch dieser zweite Teil, der ebenfalls sechs Verse umfaßt, ist kunstvoll gebaut: wie im ersten Teil tritt die Person des Dichters selbst direkt

---

²²² Nur aus dem Gegensatz χαρίεσσα ἥβη wird dem Hörer die Assoziation γῆρας ἄχαρι nahegelegt, direkt aber wird das Alter nur durch die Einzelsymptome gekennzeichnet.
²²³ Zu γλυκερὸς vgl. z. B. Pind. P. II, 26 und γλυκύς αἰών ε 152.

nur am Anfang hervor (v. 1: ἡμὶν – v. 7 ἀνασταλύζω), während das Folgende ganz objektiv entwickelt wird. Das Streben nach Überraschungseffekten findet auch hier Ausdruck. Denn ἀνασταλύζω ist noch undifferenziert; als Grund kann der Hörer noch immer die Beschwerlichkeiten des Alters vermuten. Erst mit v. 7 aber wird der eigentliche Grund genannt: die Furcht vor dem Tartaros. Daran schließt sich ein Bild des Hades, ganz konkret dargestellt: δεινὸς μυχός – ἀργαλῆ κάτοδος (v. 9–10). Die Verbindung der einzelnen Sätze ist dabei grundsätzlich eine andere als im ersten Teil. Dort schritt der Gedanke in einer Pendelbewegung impliziert weiter; im zweiten Teil wird durch zweimaliges γάρ die Struktur straffer, und der Gedanke entwickelt sich rascher. – Mit κάτοδος ist geschickt das Stichwort für den Schlußsatz gegeben, der wieder, allgemeiner gefaßt, die Quintessenz vorträgt: eine Rückkehr ist ausgeschlossen, ins Leben zurückzukehren ist versagt. Damit schließt sich der Ring, denn gegenüber den Schrecken des Hades muß das Leben auch im Alter mit all dessen Beschwerden doch als γλυκερός erscheinen. Zu fragen ist allerdings, ob das Bild des Hades nicht bewußt etwas allzu schrecklich gezeichnet ist. Jedenfalls verliert das Schrecklichste von allem, daß man nämlich aus dem fürchterlichen Abgrund nicht mehr zurückkehren kann, durch die fast epigrammatische Formulierung im letzten Vers seine Spitze[224]. Das Spiel von Gedanken und Form ist – wie nicht anders zu erwarten – auch in diesem Teil für das Verständnis entscheidend[225].

Nicht das Alter, sondern die Furcht vor dem Tod ist der Fixpunkt. Unter diesem Aspekt verliert das Alter seine traditionelle Rolle. Anakreon blickt auf den Tod, und zwar nicht vom Standpunkt der Jugend her, sondern aus der unmittelbaren Nähe – so erscheint ihm auch dieser Lebensabschnitt noch als Teil des γλυκερὸς βίοτος. Die Klage über das Alter, deren Realismus die Interpreten befremdet, erweist sich als Klage darüber, daß eben dies Alter nicht mehr lange währen wird. Das Spiel der Ironie tritt offen zutage; auch das eine Paralelle zu fr. 358.

Anakreons Einstellung zum Alter ist weder ,,wehleidig" noch ,,banal"! Beschönigt werden die Nachteile des Alters nicht. Darin steht Anakreon in einer festen Tradition. Daß aus der übernommenen Trias der ,,Kaka": Alter – Krankheit – Tod letzterer als das eigentlich zu Fürchtende herausgehoben wird, ist kein Grund, die Echtheit des Fragmentes zu bezweifeln.

---

[224] Ob auch ἕτοιμον einen ironischen Beiklang hat, läßt sich nicht sicher feststellen; vgl. *M. Gigante*, Anac. fr. 50,9, RivFil 91, 1963, 196.

[225] Diese Stileigentümlichkeit ist bedingt durch eine Gedichtstruktur, die langsam dem archaischen Stil entwächst. An die Stelle einfacher Reihungen treten Verschränkung und in sich geschlossene Gedankenkomplexe; vgl. *K. Dietel*, Das Gleichnis in der grühgriechischen Lyrik, Diss. München 1939, 105; *A. E. Harvey*, Homeric Epithets in Greek Lyric Poetry, ClQu 7, 1957, 213.

9. SEMONIDES

Als eines der Hauptzeugnisse für die pessimistische und trübselig-banale Einstellung zum Greisenalter wurden neben den Fragmenten des Mimnermos die Jamben des Semonides zitiert[226]. So konnte Schadewaldt sein Urteil über Lebenszeit und Greisenalter bei Semonides folgendermaßen zusammenfassen: „Die Lebensschwermut ist hier zur trübseligen, wissensstolzen Doktorin geworden. Der Mensch soll wissen und wissend innesein, wie schnell Jugend dahin ist. Vor diesem Wissen ist das, was die Kraft der Jugend ist: daß sie der Gegenwart lebt und sich nicht um das Kommende schert, eine Torheit. Und doch hat jenes Wissen kein anderes Mittel gegen diese Torheit als die Flucht in die immer neue Gegenwart des Genusses[227]". Welcher Stellenwert innerhalb dieser Zusammenfassung dem Greisenalter zukommt, bleibt unklar. Die Quintessenz scheint aber doch implizit die zu sein, daß entsprechend einer allgemein pessimistischen Einstellung zum Leben auch das Greisenalter unter negativem Aspekt erscheint. Jedenfalls scheint dies die Auffassung von Schütz zu sein, wenn er in engem Anschluß an Schadewaldt schreibt: „So gilt das Greisenalter nunmehr (scl. in der Lyrik) als ein Grundübel des Menschen. Semonides von Amorgos etwa zählt es zu den Kaka, die dem Menschen, alle seine törichten Hoffnungen endend, den Tod bringen ... (es folgt Paraphrase von fr. 1) ... Γῆρας, die gewöhnlichste Todesursache, führt den makabren Reigen an: statt eines Lebensabschnittes voll Kraft und Unkraft zugleich, wie für Homer, ist es nunmehr ein dem Menschen frei gegenüberstehender Bringer des Leids, ein Todfeind des Lebens, der die dem Vieh gleich dem Tage lebenden Menschen unversehens erlegt".[228]

Wie aber läßt sich fr. 7,83 ff. unter die zitierte Interpretation subsumieren? In diesem Gedicht führt Semonides die von der Biene abstammende Art als zehnten und letzten Frauentypos vor, dem im Gegensatz zu den vorher geschilderten als einzigem positive Eigenschaften, freilich gleich alle nur denkbaren, zugeschrieben werden. Die Vorzüge dieser Frau sind ganz verschiedener Natur. Semonides beginnt allgemein: „Jener nämlich allein ist der Tadel nicht beigesellt" (v. 84). Positiv zeigt sich diese „Tadellosigkeit" in drei konkreten Formen: 1. Es blüht unter ihrer Hand und wächst das Vermögen (v. 85); 2. Lieb altert sie zu-

---

[226] Bei der Beurteilung dieser Frage spielt das Fragment 29 eine wichtige Rolle. Da die Frage der Echtheit auch im Zusammenhang der vorliegenden Fragestellung nicht eindeutig beantwortet werden kann, obwohl sehr viel für eine spätere Datierung spricht, soll es hier nicht herangezogen werden. *M. L. West* (Iambi et Elegi Graeci II, 1972) reiht das Fragment unter die des Simonides Ceus ein, bemerkt aber dazu: „ego si non manum, at aetatem Cei sentio."

[227] *Schadewaldt*, Lebenszeit, 294; zwar bezieht sich seine Zusammenfassung zunächst auf fr. 29, gilt aber auch für fr. 1.

[228] *Schütz*, Astheneia 66.

sammen mit dem liebenden Mann, nachdem sie geboren hat ein schönes und ruhmvolles Geschlecht (v. 86/7); 3. Sie zeichnet sich unter allen Frauen aus; göttliche Charis umgibt sie, aber sie findet keinen Gefallen an Bettgeschichten (v. 88–91). Daß das Geras-Motiv, wie es sich in Punkt 2 darstellt, in diesen Versen so unbelastet von den negativen Aspekten erscheinen kann, wie sie in fr. 1 (bzw. fr. 29) hervortreten, läßt sich wohl nur so erklären, daß das Greisenalter für sich genommen auch bei Semonides eindeutig weder positiv noch negativ beurteilt wird. Im Hintergrund der Verse 86/7 steht offensichtlich die Vorstellung des λιπαρὸν γῆρας aus der Odyssee. Die Sicherung des Vermögens, der Fortbestand der Familie, die ungestörte Ordnung aller Lebensumstände – in diesem Fall durch die Eigenschaften der guten Frau garantiert, wie in den übrigen neun Fällen die schlechte Frau Ursache allen Übels ist – sind aus dem Epos bekannte Motive. Der entscheidende Unterschied dabei ist, daß aus der Vorstellung des γῆρας λιπαρόν ein Idealbild geworden ist, das, wie der 10. Frauentypos insgesamt, wenig direkte Beziehungen zur realen Welt hat. Dadurch verliert in diesem Fragment das Alter zwar die Selbstverständlichkeit eines positiven Aspektes, ohne aber den Anspruch auf ihn abzugeben. Unepisch ist die sprachliche Formulierung φίλη δὲ σὺν φιλεῦντι. Denn durch φιλεῦντι erfährt φίλη eine Intensivierung, die es umgekehrt auf dieselbe Bedeutungsstufe wie φιλεῦντι hebt. Die Gegenseitigkeit des Verhältnisses der Menschen, die zusammen altern, findet darin ihren Ausdruck[229]; der ganze Passus tendiert zum Idyll. Bedenkenswert ist, daß das Geras-Motiv bei der Schilderung der übrigen neun Frauentypen überhaupt nicht auftaucht – etwa im Sinne, daß eine schlechte Frau den Mann in ein frühes Alter treibt, wie es aus Hesiod bekannt ist.

Unter einem ganz anderen Blickwinkel stellt Semonides das Greisenalter in fr. 1 dar. Der Dichter richtet seine Verse an einen Jüngeren (ὦ παῖ v. 1). Um wieviel älter Semonides ist, kann nicht erschlossen werden, nur eben, daß er älter als der Angesprochene ist[230]. Ebenso unsicher ist, für welche Gelegenheit dieses Gedicht entstand, aber die Vermutung, daß es in den Umkreis der Symposiondichtung gehört, liegt nahe[231]. Semonides stellt der den Menschen innewohnenden ἐλπίς und ἐπιπειθείη (v. 6) sein eigenes πείθειν (v. 22) entgegen. Die Menschen streben nach Reichtum und Agatha (v. 10). Semonides selbst weiß – ohne dies Wissen zu begründen –, daß dieses Streben ἄπρηκτον ist (v. 7), d. h. nicht zum Telos kommen kann. Denn Alter, Krankheiten und Tod sind Grenzen, die alles

---

[229] Vgl. *W. J. Verdenius*, Semonides über die Frauen, Mnemosyne, 21, 1968, 132 ff. bes. 150 und *W. Marg*, Der Charakter in der Sprache der frühgriechischen Dichtung, 1938, 28 f.

[230] Leider bietet fr. 5 für diesen Zusammenhang keine Interpretationshilfe. Denn ob das dort geschilderte Bild, wie *Fränkel* (DuPh 230) meint, im Sinne einer Ermahnung eines Älteren an einen Jüngeren zu interpretieren ist, bleibt ganz ungewiß. Wir kennen den Vers nur aus verschiedenen Plutarchzitaten, die in so verschiedenen Kontexten stehen, daß der ursprüngliche Sinn nicht mehr erschlossen werden kann.

[231] *Fränkel*, DuPh 231.

menschliche Tun der absoluten Unsicherheit ausliefern. Dabei erscheinen Alter und Krankheiten zunächst als gleichgewichtig neben dem Tod; dem aber widerspricht die Verteilung der Akzente. Vom Greisenalter wird gesagt, daß es dem menschlichen Streben zuvorkommt (v. 11)[232]. Es folgen die Krankheiten (v. 12/13). Das φθάνει wird zu φθείρουσι gesteigert. Als drittes Übel schließt sich der Tod an. Dieses Motiv wird nun, entsprechend der Trias Alter, Krankheit und Tod – wohl nicht zufällig ebenfalls dreifach auseinandergelegt – in aller Ausführlichkeit[233] vorgetragen (1. Tod im Kampf; 2. Tod auf dem Meer; 3. Selbstmord). Umgekehrt werden in den zusammenfassenden Versen (v. 20ff.) die κῆρες an erster Stelle genannt[234]. Deutlich tritt formal das Motiv Tod als das entscheidende hervor. Bestätigt wird dies durch fr. 2 und fr. 3. Auch die Tatsache, daß fr. 1 bei Stobaios in dem Kapitel erscheint, in dem Zitate über die Kürze des Lebens gesammelt sind, weist in dieselbe Richtung. Alter und Krankheit werden als Übel nicht per se angeführt, sondern unter dem Aspekt der Todesnähe. Dem entspricht, daß dem „widerwärtigen Alter" nicht etwa eine besonders positiv praedizierte Jugend entgegengestellt wird; damit nämlich würde sich dieses Motiv verselbständigen, wie es bei Mimneros geschieht. Semonides zeigt in diesem Fragment nicht die Schwäche eines Lebensalters, sondern faßt es punktuell als letzte Stufe unmittelbar vor dem Tod zusammen.

Der verschiedene Zusammenhang, innerhalb dessen sich Semonides über das Alter äußert, die Gelegenheit, für die er dichtet, führen zu verschiedenen, sich aber nicht ausschließenden Beurteilungen des Greisenalters. Insofern es Todesnähe – d.h. zugleich Immobilität im Planen und Handeln – bedeutet, wird es ἄζηλον genannt; davon unabhängig kann es aber auch als „γῆρας λιπαρόν" erscheinen. Negativ beurteilt wird nicht das Greisenalter an sich, sondern das illusionäre Streben der Menschen.

[232] Das Wort φθάνειν hier zum ersten Mal in Verbindung mit Alter. Der dynamische Aspekt der Zeit tritt in diesem Wort besonders deutlich hervor.

[233] Während für das Thanatos-Motiv sieben Verse beansprucht werden, spricht Semonides über das Alter und die Krankheiten nur in drei Versen.

[234] Damit soll nicht behauptet werden, daß κῆρες auf die Bedeutung ,unmittelbarer Tod' festgelegt seien; gemeint aber sind sicher solche Schicksalsschläge, die im Ergebnis die völlige Destruktion bringen; *D. J. N. Lee,* Homeric κῆρ and others, Glotta 39, 1961, 191 ff.; *B. C. Dietrich,* Death, Fate and the Gods, 1965, 240ff.

10. SOLON

Solons Äußerungen zum Alter haben in der modernen Forschung schon immer besondere Bedeutung gefunden. Das ergab sich unmittelbar aus seiner berühmten Auseinandersetzung mit dem jonischen Zeitgenossen Mimnermos (fr. 22). Aber erst seit den Untersuchungen von Schadewaldt und Römisch[235], seit also die Lebensalterelegie (fr. 19) in ihrer Eigenart verstanden und von dem Vorwurf der ‚Primitivität‘, den ihr die Forschung zum Teil angeheftet hatte, befreit war, traten die Gedanken Solons zu ‚Lebenszeit und Greisenalter‘ in ihrer Besonderheit hervor. Seither gilt die Lebensalterelegie, die in neun Distichen das Leben streng formal in Hebdomaden aufgliedert und einer jeden einzelnen spezifische Eigenarten zuweist, mit Recht als ein Kernstück frühgriechischen Denkens zu diesem Thema und wurde dementsprechend immer wieder behandelt[236]. Der scheinbar einfache Bau und manche Einzelheiten des Gedichtes haben neuerdings wieder O. Szemerenyi veranlaßt, die Echtheit in Frage zu stellen. Seine Argumente zielen vor allem auf die ‚schlechte Qualität‘ der Elegie[237].

[235] *Schadewaldt*, Lebenszeit 297f.; Römisch, Studien 60ff.

[236] Die Literatur ist zusammengestellt bei *H. Steinhagen*, Solons Lebensalterelegie, StGen 19, 1966; es fehlt allerdings dort das auch sonst zu wenig beachtete Buch von *A. Masaracchia*, Solone, 1958.

[237] *O. Szemérenyi*, Syncope in Greek and Indo-European and the Nature of Indo-European Accent, 1964, 136. Szemérenyi diskutiert die Echtheitsfrage im Zusammenhang mit seiner Untersuchung über Alter und Entstehung der Zahlworte, die auf -ας enden. Seiner These, daß die Form ἑβδομάς erst im 5. Jh. entstanden sei, steht das Auftreten dieser Form in der Lebensalterelegie entgegen. Ließe sich erweisen, daß die Elegie nicht von Solon verfaßt ist, so wäre nach Szemérenyi der Weg offen, sie in das 5. Jh. vor Chr. zu datieren, eine Entstehungszeit, die den allgemeinen linguistischen Befunden von Szemérenyi entspräche.
Zu den Einwänden im einzelnen: 1) Im Anschluß an *T. Hudson-Williams* (Early Greek Elegy, 1926, 129) wird die i n h a l t l i c h e Zusammenfassung der 7. und 8. Hebdomade kritisiert. Auch wenn man die Erklärung, Solon habe durch diese Zusammenfassung das Überschreiten des Lebenshöhepunktes hinausschieben wollen, nicht akzeptiert, muß zugestanden werden, daß gerade die Zusammenfassung der Lebensstufen, die das einfache Schema der Reihung durchbricht, nicht zu einer postulierten Volksdichtung paßt. 2) Wenn Szemérenyi schreibt: „The conception of ten seven-year stages ... does not fit into the mental climate of the early sixth century“, so muß dem entgegengehalten werden, daß uns von dem ‚mental climate‘ des frühen 6. Jh. gerade hinsichtlich der Einteilung der Lebensstufen viel zu wenig bekannt ist, um ein Argument gegen die Echtheit der Lebensalterelegie daraus zu erschließen. 3) Szemérenyi vermutet, die Elegie sei erst in der späteren Antike im Anschluß an Herod. I, 32 Solon zugeschrieben worden. Dem ist entgegenzuhalten, daß die Annahme, Herodot habe an dieser Stelle tatsächlich an ein Gedicht des Solon angeknüpft, durchaus im Bereich des Möglichen liegt, d. h. selbst wenn die antike Zuschreibung auf den Herodotpassus zurückgehen sollte, wäre dies kein Grund, deren Berechtigung zu bezweifeln. 4) Daß in v. 5 τῇ τριτάτῃ, aber das Bezugswort ἑβδομάδι erst in v. 7 folgt, ist für Szemérenyi ein Beweis der schlechten Qualität der Verse. Doch macht die weite Sperrung der Worte nur dann Schwierigkeiten, wenn man den Einschnitt nach v. 6 zu stark betont. 5) Ebenfalls für geringes Können des Dichters spricht nach Szemérenyi die Wortwiederholung σήματα – σήματα (v. 4 und v. 8) und μέγ᾽ ἄριστος – μέγ᾽ ἄριστος (v. 7 und v. 13). Szemérenyi schreibt wörtlich: „The language is so singularly gauche, that only a beginner can be credited with it, a conclusion confirmed by the repetition (for want of something more striking) in line 8 of σήματα of line 4“. Aber zu fragen ist, ob nicht gerade Wortwiederholungen gerade strukturbildend sein können. 6) Szemérenyis letzter und besonders schwerwiegender Einwand

Wie schwierig es ist, Echtheitsfragen allein auf Grund von Qualitätsurteilen zu entscheiden, ist bekannt. Gerade die Lebensalterelegie, seit nun bald 100 Jahren in der Diskussion, ist ein schlagendes Beispiel für die Unsicherheit solcher Entscheidungen. Solange aber nicht eindeutig erwiesen ist, daß die antike Überlieferung, für die Solon unbestritten als Verfasser der Verse gilt, nicht stimmt, muß versucht werden, die Lebensalterelegie zunächst als Werk des Solon zu verstehen. Wie Steinhagen[238] im Anschluß an Schadewaldt gezeigt hat, kann die besondere äußere Form von fr. 19 durchaus als Ergebnis einer sehr bewußten Gestaltung angesehen werden. Seine Ergebnisse sollen im folgenden kurz referiert werden.

Nach einem kurzen Überblick über die Forschung zu fr. 19 bestimmt Steinhagen das Ziel seiner Untersuchungen folgendermaßen: „Im Mittelpunkt steht also nicht das Gedicht als Zeugnis für irgendwelche Probleme oder Theorien, sondern das Gedicht als Kunstwerk, dessen dichterische Form es zu erkennen gilt" (S. 600). Diese Forderung ist um so berechtigter, als es gerade die äußere Form war, die lange Zeit der Elegie nur Skepsis begegnen ließ. Dementsprechend stellt Steinhagen über das Verhältnis von Inhalt und Form die These auf: „Die Lebensalterelegie unterscheidet sich darin von den volkstümlichen Zeugnissen dieser Art, daß es Solon gelungen ist, durch das auf den ersten Blick äußerliche und starre Schema der Hebdomaden ein μέτρον, ein geistiges Gesetz, das in der Entwicklung des Menschenlebens wirksam ist, sichtbar zu machen" (S. 601). In direktem Anschluß an Schadewaldt und Römisch wird weiterhin betont, daß Solon durch die formale Gleichwertigkeit, mit der er die Abschnitte des Lebens behandelt, auch ein inhaltliches Gleichgewicht herstellt und so die Lebensstufen nicht als additive Aufeinanderfolge, sondern als „Entwicklung" begreift (S. 602). In der anschließenden Interpretation stellt Steinhagen folgende Punkte heraus:

1. In der ersten Hebdomade werden mit νήπιος und ἄνηβος die Stichworte für die beiden Entwicklungslinien gegeben.

2. Bis zur vierten Hebdomade wird die rein physische Entwicklung gezeichnet.

3. Die fünfte Hebdomade stellt eine Zäsur dar, in der die erste Entwicklungslinie sistiert wird.

betrifft die Tatsache, daß in v. 7 und v. 8 nicht ἑβδόμη bzw. ὀγδόη steht. Der dadurch entstandene ‚Rechenfehler' kann und soll nicht weginterpretiert werden. Vielleicht hat sich die Besonderheit aus der Zusammenfassung der beiden Hebdomaden ergeben. Es soll an dieser Stelle nicht geleugnet werden, daß die Lebensalterelegie manche Besonderheiten sprachlicher und inhaltlicher Art aufweist. Wie auch immer man aber die Verse beurteilen mag, ja selbst, wenn man sie Solon nicht zutrauen will, bleibt die Frage, warum die Elegie erst im 5. Jh. vor Chr. oder später entstanden sein soll. Denn keine der von Szemérenyi und den anderen Interpreten beobachteten Besonderheiten läßt sich eindeutig als für eine bestimmte Zeit spezifische erweisen.

[238] H. Steinhagen, Solons Lebensalterelegie, StGen 19, 1966, 599ff.

4. Mit der sechsten Hebdomade setzt eine zweite Linie, die des Nous, ein. Die beiden folgenden Hebdomaden werden in einem Distichon zusammengefaßt, um das Überschreiten des Höhepunktes möglichst hinauszuschieben, das dann erst mit der neunten Hebdomade beginnt. In diesem Punkt geht Steinhagen einen Schritt über seine Vorgänger hinaus, die die Frage, warum gerade die 7. und 8. Hebdomade als einzige in einem Distichon zusammengefaßt werden, nicht erklärt haben. Den „Rechenfehler" (s. A. 237) kann freilich auch er nicht erklären.

5. Der Tod in der zehnten Hebdomade erscheint als natürlicher Endpunkt der Entwicklung. –

Was bereits Schadewaldt und Römisch hervorgehoben haben, betont auch Steinhagen erneut: „Dadurch, daß Solon die Entwicklung des Menschen in zwei getrennte Linien mit zwei zeitlich getrennten Höhepunkten und zwei verschiedenen Aretai auseinanderlegt, überwindet er die tiefe Kluft zwischen Jugend und Alter, die entstehen muß, wenn man das Leben einseitig betrachtet" (S. 603).

Den zentralen Begriff der Lebensalterelegie sieht Steinhagen in dem Wort μέτρον, das sowohl Inhalt wie Form bestimmt. Das Ergebnis seiner Untersuchung faßt er folgendermaßen zusammen: „Die scheinbare Einfachheit dieses Gedichts, in der wohl der wichtigste Grund für die verbreitete Geringschätzung gesucht werden muß, ist nicht ursprünglich, ist keine volkstümliche Simplizität, sondern sie ist das Ergebnis einer gelungenen künstlerischen Gestaltung" (S. 606). Ohne die Schwierigkeiten zu leugnen, die sich aus v. 6 und 7 ergeben, wird man doch diesem Ergebnis der Analyse von Steinhagen folgen. Wenn man nur einmal vergleichbare Lebensaltergedichte der Volksdichtung mit Solons Elegie vergleicht, wird man sehr bald bemerken, daß alle durch einfache Reihung im Aufbau gekennzeichnet sind, Verschränkung des Gedankenablaufs, wie er für fr. 19 typisch ist, aber nicht kennen[239].

Wenn Solon aber die Form so handhaben konnte, daß eben sie allein das Vehikel wird, mit Hilfe dessen sich der Gedanke an eine Gleichwertigkeit aller Altersstufen ausdrücken läßt, so ist doch weiterzufragen: was hätte es dieser Gleichwertigkeit für einen Abbruch getan, wenn Solon neben die Jugend das „Noch nicht" des Alters und neben das Alter das „Nicht mehr" der Jugend gestellt hätte? Warum werden die beiden Entwicklungslinien – obwohl formal im ersten Distichon angelegt – so scharf getrennt, daß weder das Wachsen des Nous in den ersten noch das Abnehmen der ἰσχύς in den letzten Hebdomaden angesprochen wird? Die Antwort mag in der Richtung liegen, daß eine Gleichwertigkeit der Lebensalter zwar positiv auf den jeweils spezifischen Aretai begründet werden kann, aber gefährdet ist von dem Blick, der das Fehlende erkennt,

[239] Vgl. die Zusammenstellung bei J. Zacher, Die zehn Altersstufen des Menschen, ZfdPhilos 23, 1891, 385 f.

weil das „Nicht mehr" des Alters schwerer wiegt als das „Noch nicht" der Jugend. In dieselbe Richtung weist die Tatsache, daß zwar das Wort ἥβη im ersten Teil, γῆρας aber nirgends vorkommt, gleich als ob das Wort allein durch die Tradition mit zu negativem Vorstellungsgehalt beladen wäre, was ja auch zutrifft. Dazu kommt noch, daß in der Elegie die sich in Hebdomaden aufgliedernde Zeit nirgends als Subjekt erscheint, die den Menschen unter ihrer Gewalt hat. Dadurch soll, wie mir scheint, der Gefahr entgegengewirkt werden, daß der Blick von der kontinuierlichen Entwicklung des Menschen auf die unaufhaltsame Flucht der Zeit abgeleitet, was je wiederum besonders zu Lasten der zweiten Lebenshälfte ginge. Selbst vom Tod wird nicht gesagt, daß er den Menschen ergreift, sondern der Mensch, der bis in die 10. Hebdomade lebt, „der hat dann wohl nicht als unzeitiger das Los des Todes" (v. 17)[240].

So ergibt sich, daß Solon in Fragment 19 eine Gleichwertigkeit der Lebensstufen nur durch Umdeuten oder „Verschweigen" überkommener Motive erreichen kann. Um es überspitzt zu sagen: was im homerischen Epos noch nicht ins Bewußtsein gerückt ist, wird bei Solon bewußt zurückgenommen. Aber eben diese Zurücknahme hinterläßt doch einen Stachel und kann als Einseitigkeit erscheinen, die freilich der Einseitigkeit des Mimnermos intellektuell überlegen sein mag. Überzeugend kann die Elegie, die ihre Größe der streng durchgehaltenen Distanz verdankt, nur für einen distanzierten Hörer sein. Und so findet sich bei Solon zum Thema Greisenalter auch eine Äußerung ganz anderer Art.

In Fragment 14, das wohl zum Vortrag beim Symposion bestimmt war[241], stellt Solon dem Überfluß an Geld, Gold und Land und dem reichen Besitz von Pferden und Maultieren – alles zusammengenommen der Ausdruck für die altüberlieferte aristokratische Lebensart – den einfachen, aber ebenso beglückenden Genuß des Augenblicks in der Jugend gegenüber: Liebe und wohliges Gefühl, wie es der Jugend gemäß ist. Denn aller übermäßiger Reichtum kann den Menschen doch nicht vor dem Tod oder den Krankheiten retten, noch auch vor dem schlimmen Alter, wenn es herankommt[242]. Dies letztere, besonders das ἐπερχόμενον, klingt ganz nach dem, was Schadewaldt als grundlegend für die neue Einstellung zum Greisenalter in der Lyrik bezeichnet hat: das Grauen vor der unaufhaltsam verrinnenden Zeit[243]. Gerade das aber, so sahen wir, hat Solon in der Lebensalterelegie nicht nur inhaltlich, sondern auch formal zu umgehen versucht. So sieht sich der Hörer in fr. 14 einem γῆρας gegenüber, das vielleicht nicht unmittelbar in das Schema von Fragment 19 paßt, dafür aber um so mehr in die Tradition der Symposiondichtung. Denn so recht Schadewaldt auch hat,

---

[240] In den Übersetzungen wird meist umgekehrt der Tod zum Subjekt gemacht. Das entspricht nicht dem Text. Die Nuance, die diese Vertauschung ausmacht, ist aber zu beachten.

[241] *Fränkel*, DuPh 264.

[242] Zur Umbildung des Fragmentes in der Theognissammlung vgl. *B. A. v. Groningen*, Theognis, 1966, 280 ff.

[243] *Schadewaldt*, Lebenszeit 292.

wenn er zu dieser Elegie schreibt, daß nicht Jugend und Alter einander gegenüberstehen, sondern Jugend und Reichtum, und was an Tod und Krankheit und
nahendem Alter zunichte wird, wiederum der Reichtum ist, so bleibt doch das
Faktum, daß das Alter hier in seiner traditionellen Begleitung eindeutig als Kakon erscheint[244]. Natürlich ist es damit noch nicht ein γῆρας, wie Mimnermos
es sieht, aber es zeigt sich an dieser Stelle deutlich, wie sehr die letzten Hebdomaden in der Lebensalterelegie, um ihre Gleichwertigkeit zu behaupten, auf die
besprochene Zurücknahme angewiesen sind.

In dem eben besprochenen Fragment 14 spricht Solon aus der Blickrichtung
der Jugend. Von der Gegenseite her faßt der schon alte Dichter seine Erfahrung
in Fragment 22,7 zusammen: γηράσκω δ' αἰεὶ πολλὰ διδασκόμενος.

Daß nicht die Fähigkeit des erfahrenen Rates, sondern die Voraussetzung dafür, die Fähigkeit, immer weiter zu lernen und aufzunehmen, hervorgehoben
wird, zeigt den durchdringenden Blick des alternden Solon, der damit ein deutli-
ches Zeugnis gegen den Zwang der Altersrigidität ablegt. In welchem Lebensalter Solon das gegen Mimnermos gerichtete Gedicht schrieb, aus dem der zitierte
Vers stammt, ist unbekannt. Es mag die von Mimnermos so programmatisch
festgesetzte Grenze von 60 Jahren (Mim. fr. 6) überschritten und – aus der eigenen Erfahrung, dem „Weiterlernen", veranlaßt – den 60 Jahren seinen eigenen
Wunsch entgegengesetzt haben (fr. 22,4):

ὀγδωκονταέτη μοῖρα κίχοι θανάτου

Es ist ein glücklicher Zufall, daß uns von Solon drei Zeugnisse überliefert sind,
die das Greisenalter unter je anderem Blickwinkel beleuchten: fr. 14 von der Jugend und aus dem Kreis des Symposions her; fr. 22 aus der Sicht des Alters
selbst; fr. 19 aus der Distanz und ohne Engagement für eine bestimmte Altersstufe[245]. In dieser Vielfalt ist Solon mehr als nur Gegenpol zu Mimnermos, gegen den er nicht immer wieder ausgespielt werden sollte. Stärker als bei irgendeinem anderen frühgriechischen Dichter zeigt sich bei ihm das Greisenalter nicht
nur von seiner positiven Seite, sondern in seiner ganzen Abhängigkeit von der
jeweiligen Blickrichtung oder dem thematischen Bezugspunkt, nach dem es positiv, negativ oder eben einfach als eine Lebensstufe unter anderen erscheinen
kann.

---

[244] *Schadewaldt*, Lebenszeit 298.
[245] Daß auch der Staatsmann und Gesetzgeber Solon sich mit den Problemen der staatlichen Regelung der ‚Altersversorgung' zu beschäftigen hatte, ist selbstverständlich. So wird die alte, seit
Homer selbstverständliche Pflicht der Kinder gegenüber den Eltern, das θρέπτρα ἀποδιδόναι, ausdrücklich in den solonischen Gesetzen verankert; vgl. *A. Martina*, Solone, Testimonianze sulla vita
e l'opera, 1968, fr. 454–456. Daß das Bedürfnis nach gesetzlicher Regelung gerade dieser Frage im
Lauf des 6. Jh. immer akuter wurde, zeigt eine Gesetzesinschrift aus Delphi (Mitte 6. Jh. vor Chr.).
Das Gesetz legt die Pflichten der erwachsenen Kinder gegenüber den Eltern fest; vgl. *L. Lerat*, Une
loi de Delphes sur les devoirs des enfants envers leurs parents, RevPhil 17, 1943, 62 ff.

11. MIMNERMOS

Kein Lyriker hat das Alter mit einer solchen Last von Kaka beladen wie Mimnermos; und es ist nur allzu verständlich, daß gerade er immer wieder als Hauptzeuge für eine negative Einschätzung des Greisenalters in der griechischen Literatur zitiert wird[246]. Für die antike Tradition war Mimnermos der Dichter der Liebe[247]. Auch in der modernen Forschung gibt es die Tendenz, in den Klagen über das Alter lediglich ein Gegenbild der Jugend zu sehen, vorgetragen nur, um deren Genuß zu steigern im Sinne von „carpe diem". Als Beispiel für diese Auffassung sei das Urteil von Fränkel zitiert: „Um nun die Jugend durch Erkenntnis des Gegenteils zu einem tieferen Genuß anzuleiten, hält Mimnermos die Leiden vor, denen sie unvermeidlich entgegengeht"[248].

Dem steht eine Auffassung über die Grundstimmung der mimnermischen Gedichte entgegen, wie sie z. B. von Lesky vertreten wird: „Wenn da (scl. in fr. 2) der Dichter die Menschen beklagt, die vergänglich, gleich den Blättern im Walde, eine Zeitspanne lang an den Blumen der Jugend ihre Freude haben, ohne Schlecht oder Gut zu kennen, kann nicht Aufforderung zur Lebenslust Sinn und Abschluß des Ganzen gewesen sein. Das Trotzdem des Archilochos liegt Mimnermos nicht. Wir haben damit zu rechnen, daß einzelne seiner Gedichte elegisch im modernen Wortsinne gewesen sind und daß der Dichter, der mit 60 Jahren schmerzlos sterben möchte, das Leid der Vergänglichkeit stärker empfand und aussprach als die Lust der Gegenwart".[249]

Beide zitierten Ansichten werden in ihrer Ausschließlichkeit dem Text nicht gerecht. Denn daß der Genuß der Jugend und die Lust an der Gegenwart ausgekostet werden und die Hebe der einzig gültige Wert ist (auch in ihrer Flüchtigkeit), zeigt fr. 1. Das Alter als Gegenbild aber soll diesen Genuß nicht steigern; der Hörer soll vielmehr aufgefordert werden, den Wert der Hebe zu e r k e n n e n. Römisch spricht von „Heiterkeit im Schatten des Todes"[250], womit nicht die vielzitierte „ionische Genußfreudigkeit" gemeint ist, sondern die klare, unsentimentale Erkenntnis von der Kürze des Lebensabschnittes, der allein lebenswert ist.

Wie sehr sich das Denken des Mimnermos auf das Gegensatzpaar Jugend–Alter konzentriert, wenigstens was die Fragmente 1–5 betrifft, hat Römisch durch einen Vergleich mit Semonides herausgestellt[251]. Das Alter ist nicht mehr ein

---

[246] Letzter Überblick über die Sekundärliteratur bei *M. Treu*, RE Suppl. (1968) 935ff.

[247] Die Testimonia sind gesammelt bei *S. Szádecky-Kardoss*, Testimonia de Mimnermi vita et carminibus, 1959.

[248] *Fränkel*, DuPh 241; ähnlich *Bowra*, EGE 18; *Snell*, EdG 243.

[249] *A. Lesky*, Geschichte der griechischen Literatur, 1963², 142; ähnlich *Schadewaldt*, Lebenszeit 296.

[250] *Römisch*, Studien 59.

[251] *Römisch*, Studien 56ff.; vgl. *Bowra*, EGE 20ff.; *Fränkel*, DuPh 241f.

Übel unter anderen, das dem blinden Streben und Hoffen der Menschen entgegensteht, sondern das Kakon schlechthin, das auf sich alle nur denkbaren und deswegen auch disparatesten Negativa vereinigt: es ist ungestalt (fr. 5,2) und schlecht (fr. 4,1), dementsprechend macht es den alten Mann häßlich und schlecht (fr. 1,6), ja sogar unkenntlich (fr. 5,4); es ist widrig und mißachtet (fr. 5,4); dementsprechend ist der alte Mensch den Knaben widrig, bei den Frauen mißachtet, und der Vater dem Kind weder geehrt noch lieb (fr. 1,9; 3,2); es ist ganz allgemein schmerzhaft und quälend (fr. 1,5; 1,10; 2,6; 5,2), dementsprechend bringt es dem alten Menschen alle nur möglichen Übel (fr. 2,16). Gefolgt ist es vom Niedergang des ganzen Hauses, von Armut, Angst, Kinderlosigkeit und von Krankheit (fr. 2,11).

Der Mensch ist auch innerlich getroffen; das Alter ergießt sich über Augen und Nous, schafft unaufhörlich Sorgen und eine Unzahl von Kaka im Thymos des Menschen. Die Quintessenz: der Tod ist dem Altwerden vorzuziehen. Eine scharfe Pointierung erfährt dieses sich auf einen Gegensatz beschränkende Denken noch dadurch, daß das Greisenalter nicht nur sprachlich durch das Übermaß der negativen Praedizierungen den Gegenpol Jugend zu erdrücken scheint, sondern auch durch sein Übergewicht, mit der es die Lebenszeit fast gänzlich in Beschlag nimmt; denn dieser Eindruck ergibt sich aus den meisten Fragmenten. So schreibt Römisch: „Der Rahmen von γῆρας ist hier ungewöhnlich weit gespannt, er umschließt den ganzen Lebensraum, soweit er nicht mehr ἥβη ist; dadurch entsteht eine scharfe Antithetik von ἥβη und γῆρας, durch die zugleich der Ablauf des Lebens in zwei Epochen sich gliedert, in eine positive und eine negative Daseinsform"[252]. Diese negative Daseinsform bedroht durch ihr unvermeidliches Herannahen wie ein Tantalosstein (fr. 5,3) die Jugend, die kürzer zu werden scheint, als sie tatsächlich ist: die Jugend reift rasch, dauert nur kurze Zeit und scheint auf ein Minimum zusammenzuschrumpfen; das Alter setzt unvermittelt und ohne Übergang ein. In der Tatsache, daß die 60 Lebensjahre, die Mimnermos sich wünscht, unter der Drohung des herannahenden Alters „optisch" so kurz wirken, drückt sich am deutlichsten das neue Zeitbewußtsein dieser Epoche aus[253].

Die aufgezählten Motive wiederholen sich mit erstaunlicher Konstanz, kaum eines läßt sich trotz des geringen Textbestandes nicht mehrmals belegen[254]. Ohne Unterschied stehen dabei Übel, die das Äußere, neben solchen, die das Innere des Menschen betreffen, nebeneinander, ja überschneiden sich so, daß

---

[252] *Römisch*, Studien 59.
[253] *Römisch*, Studien 60: „Die Zeit wird nur als zerstörender Faktor gesehen, da der Kulminationspunkt am Anfang liegt, und von ihm aus die Lebenskurve steil nach unten absinkt."
[254] Um so erstaunlicher ist die dichterische Kunst des Mimnermos, der dieselben Motive in immer neuen Varianten vorträgt. Am deutlichsten zeigt sich dies in fr. 2 mit dem Wechsel von Hell–Dunkel und der kunstvollen Gliederung ὥρη – ἠελίου – ἥβης und ἥβης – ἠέλιος – ὥρης (v. 1–3 und 7–9 jeweils Versende).

eine Trennung zwischen „Außen" und „Innen" nicht durchführbar ist[255]. Neu ist keines der oben aufgeführten Motive. Sehr viele sind aus dem Epos übernommen[256]. Auffallend häufig sind Parallelen zu Tyrtaios, der in der Einseitigkeit des thematischen Bezuges dem sonst so anderen Mimnermos gleicht: der Tod als kleineres Übel (Tyrt. 6,9 – Mim. passim); Feigheit bzw. Alter ziehen Ehrlosigkeit und Schmach nach sich (Tyrt. 6,10 ff. – Mim. 1,9; 3,2); Arete bzw. Jugend stehen demgegenüber in schönstem Ansehen (Tyrt. 6,29 – Mim. 5,2; 3,1). Der Vergleich ergibt für das vorliegende Thema, was eigentlich für die ganze frühgriechische Lyrik gilt, im Fall des Mimnermos aber noch zu wenig betont wurde: vorgegebene Motive können unbedenklich umgepolt werden oder wie gleichbleibende Siegel auf eine zu formende Masse gedrückt werden – sei es, daß es sich um Liebe, Arete, Jugend oder deren Gegensätze[257] handelt. Häufendes Zusammenspannen der verschiedensten Motive ist die natürliche Folge. Auch in fr. 3 spielt eine solche „Umpolung" eine entscheidende Rolle. Denn daß die Eltern von den Kindern nicht mehr geehrt werden, begründet Hesiod mit der Verletzung der Dike (s. S. 44). Mimnermos übernimmt das Motiv, verändert jedoch die Begründung für die Nichtachtung total: der einst in seiner Jugend schöne Vater wird nicht mehr geachtet, weil er alt ist, d. h. weil er seine Schönheit verloren hat. – In dieser allgemeinen Tendenz des „Umpolens" aber liegt, wie mir scheint, die Erklärung für eine zu wenig beachtete Eigentümlichkeit der Verse des Mimnermos. Es hätte auffallen müssen, daß das Greisenalter in seiner Darstellung unplastisch wirkt. Denn charakterisiert wird es nur allgemein oder durch das Hinzutreten von Attributen wie Krankheit oder Armut. Detailangaben aber, die allein das Alter in seiner ihm eigentümlichen Gestalt zeichnen, fehlen.[258] Mimnermos sagt nirgends: die Haare werden weiß, die Knie schwach, Runzeln zeichnen die Haut, oder was sonst an Topoi aus der frühgriechischen Lyrik geläufig ist. Hätte aber Mimnermos das Alter auch in dieser Weise beschrieben, so hätte es zweifellos seine Eigenart zu stark entwickelt und wäre als Träger, auf den sich alles Schlechte dieser Welt laden läßt, wenig oder überhaupt nicht geeignet. Das aber ist ja offensichtlich das Ziel des Dichters: das Greisenalter soll nicht für sich, so wie es ist, in den Blick genommen werden, sondern unter einem ganz besonderen Aspekt die Rolle des absoluten Kakons übernehmen.

Im Gegensatz dazu vereinigt Hebe alles Gute in sich, vor allem ist sie die Zeit der Liebe. Fr. 1 ist ganz von diesem Motiv bestimmt. Daß die Hebe nach den Worten des Semonides die Zeit des Planens und Handelns ist, wird von Mimnermos nicht aufgenommen. Hebe bedeutet: Schönheit, Anmut, Sorglosigkeit, Geliebtwerden. Alter ist gleichbedeutend mit Verlust dieser Dinge, bedeutet

---

[255] *Fränkel*, DuPh 242.
[256] Die Parallelen sind in den verschiedenen Editionen verzeichnet und ausgewertet bei *Treu*, Von Homer zur Lyrik, 279 ff. und *B. Gentili*, Mimnermo, Maia 17, 1965, 383 f.
[257] Bei Theognis ist es die Armut, die dieselben Motive auf sich vereinigt.
[258] Einzige Detailangabe in fr. 5,5.

reine Privation. Da es nur unter diesem Aspekt gesehen wird, werden Eigenschaften, die sonst traditionell dem Alter zugeschrieben werden, entweder nicht
erwähnt oder negiert. Die Jugend ist der „einzig wirklich faßbare Wert"[259], das
Alter schlimmer als der Tod. In gleicher Weise wird der Gegensatz Alter–Jugend in den fr. 3–5 beschrieben, am pointiertesten in fr. 5. Denn im Vergleich
mit den Aussagen der anderen frühgriechischen Dichter trifft das Alter am radi-
kalsten der Vorwurf, daß es sogar den Nous verdunkelt und schädigt (fr. 5,5).
Daß die Kraft des Geistes dem Menschen durch einen Schicksalsschlag verloren-
gehen kann, hatte Archilochos im Gegensatz zum Epos konstatiert (fr. 58). Hier
aber spricht Mimnermos dem Alter gerade die Eigenschaft ab, die sonst – oft als
einzige – seinen Wert begründet[260].

Als mythisches Exempel für die Trostlosigkeit des Greisenalters bot sich
Mimnermos die Tithonosgeschichte (fr. 4) an, wie sie im Aphroditehymnos
stand. Obwohl das Alter schon dort als äußerstes Übel gekennzeichnet wurde
(h. H. V. 244ff.), gelingt es Mimnermos doch, das Motiv noch zu steigern: 1.
das Alter ergreift Tithonos nicht aufgrund der Unachtsamkeit der Göttin Eos,
sondern Zeus selbst gibt es direkt; 2. die Verurteilung des Alters wird im Hymnos von einer Göttin ausgesprochen. Dadurch soll eher der Abstand zwischen
menschlichem und göttlichem Sein hervorgehoben, als das Alter an sich abge-
wertet werden. Dieser Aspekt fehlt bei Mimnermos. Das Alter erscheint in völ-
liger Isolation als nicht überbietbares Übel[261]. In fr. 2 wird die Thematik erweitert. Die Frage, ob v. 1 Gedichtanfang ist oder ob davor ein Gegenbild – etwa im
Sinne von „die Götter sind ewig jung"[262] – zu ergänzen ist, muß offen bleiben.
Der aus Homer übernommene Blättervergleich wird in charakteristischer Weise
verändert. Während in der Glaukosrede (Z 146ff.) das ständige Werden und
Vergehen der Generationen betont wird, spricht Mimnermos nur von der Kürze
der Jugend[263]. Doch vergegenwärtigt das Bild auch die positive Seite der Hebe!
Denn mit der frühlingshaften Natur, dem Wachsen im hellen Licht der Sonne ist
bildlich ausgedrückt, was in fr. 1 direkt beschrieben wird. Doch treten die Motive „nur kurz" und „schon kommt das Alter" so in den Vordergrund, daß sich

---

[259] *Römisch*, Studien 57.

[260] Die Lähmung, die den Geist ergreift, ist durch ἀμφιχυθέν sehr klar ausgedrückt. Bei Homer
wird das Wort im Zusammenhang mit Hypnos gebraucht, der den Nous des Zeus umschließt Ξ
252–253.

[261] Es handelt sich also bei Mimnermos um eine wirkliche und wohl auch bewußte Steigerung gegenüber dem Aphroditehymnus. Fundamental davon verschieden ist die Tendenz einer Versgruppe
der Theognissammlung (Theognis v. 1017ff.), Motive des Mimnermos zu steigern. Denn bei Theognis wird nicht das Motiv, sondern der Affekt utriert.

[262] *Schadewaldt*, Lebenszeit 295. Daß v. 1 Gedichtanfang sei, vertritt *M. L. Positano,* Nugae, La
Parola del Passato 1, 1946, 359f.

[263] Zum Vergleich der Bilder vgl. *K. Dietel*, Das Gleichnis in der frühgriechischen Lyrik, Diss.
München 1939, 14ff.; *C. M. Dawson*, Random thoughts on occasional poems, YaleClSt 19, 1966,
42ff.

das Bild verdunkelt. Die Keren Tod und Alter stehen bereit. Da Alter für Mimnermos den Verlust dessen bedeutet, was für ihn Leben heißt, wird es zum absoluten Kakon, und da es nicht unter dem Aspekt der Todesnähe gesehen wird, kann es selbständig neben den Tod treten: es entsteht die Alternative Tod–Alter. Die Entscheidung des Mimnermos ist eindeutig. Wieder ist das Grundmotiv aus Homer übernommen und wird umgepolt. Was diese Entscheidung bedeutet, wie klar sich darin der leidenschaftliche Ernst des Dichters ausdrückt, hat Schadewaldt prägnant formuliert: „Das Fragment endet mit der Aufzählung der kaka, die das Alter bringt, und zwar nicht nur solcher, die Schönheit und Liebe betreffen, vielmehr wird alles Unglück mit dem Alter verbunden: Verfall des Vermögens, Tod ohne Erben, Krankheit.‟[264] Daß diese kaka, wenn sie in Verbindung mit dem Greisenalter auftreten, besonders schlimm wirken und das Alter zum Übel machen, war durch die literarische Tradition vorgegeben. Neu bei Mimnermos ist, daß diese Übel automatisch und unbedingt mit dem Alter gekoppelt sind. Ihnen zu entgehen ist unmöglich, da sie jeden Menschen treffen (v. 15–16). Besonders verderblich sind sie, da sie auch den Thymos betreffen. Alkaios hat festgestellt, daß der Thymos erst ganz zuletzt vom Alter betroffen wird (s. S. 66). Hesiod spricht von der Armut als θυμοφθόρος und sagt vom goldenen Geschlecht ἀκηδέα θυμὸν ἔχοντες, das frei vom Alter ist. Bei Mimnermos dagegen „tritt in auffallender Bedeutung das seelische Leiden heraus, die μέριμναι bilden in dieser Welt das Negativum, zu denen die verschiedenartigen kaka nur die äußere Voraussetzung darstellen. Diese Sorgen sind das Charakteristikum einer bestimmten Lebensstufe, des γῆρας‟[265]. Der unbeschwerten Jugend steht ein Alter gegenüber, das zwar Erfahrung sammeln kann, doch ist das nicht eine Erfahrung, wie sie z. B. Nestor auszeichnet, sondern ist gleichbedeutend mit der Erkenntnis, daß es besser sei, dieser Erfahrung auszuweichen.

In der radikalen Ablehnung der Tradition drückt sich die besondere Position des Dichters aus. Möglich ist diese Einstellung erst durch die historische Entwicklung, die gerade in Jonien zu dieser Zeit zur Auflösung der alten Gesellschaftsformen geführt hat.

12. THEOGNIS UND SEIN KREIS[266]

„Im Spruch-Buch des Theognis, das so manche in früherer Zeit gewachsene Gedanken neu verarbeitet, stehen folgende Verse (527f.):

---

[264] *Schadewaldt*, Lebenszeit 296.

[265] Vgl. *Römisch*, Studien 58; *Fränkel*, DuPh 241 schreibt: „… die objektiven Unglücksfälle werden eben hauptsächlich in ihrer Wirkung auf den Thymos gesehen.‟

[266] Mit dieser Überschrift soll angezeigt werden, daß in der vorliegenden Arbeit die Frage nach Autor oder Autoren der Sammlung nicht behandelt wird. Die besprochenen Verse sollen als Zeugnis der Zeit um 500 gelten. Die Literatur zu diesem Problem ist zusammengestellt bei *Adrados*, LG und

Weh mir weh! O Jugend! O allverderbendes Alter!
Dieses es schreitet heran. Jene sie wendet sich ab.

Das Epigramm ist die denkbar kürzeste Prägung für die neue Lebensstim-
mung, die Homer noch nicht kannte, und die mit dem Zeitalter der Lyrik plötzlich durchbricht: für das Grauen vor der unaufhaltsam verrinnenden Zeit"[267].
Mit diesen Worten leitet Schadewaldt in seinem Aufsatz das 3. Kapitel ein, in
dem er über die Stellung der Lyriker zum Greisenalter handelt. Das Distichon
aus der Theognis-Sammlung, dessen ursprüngliche Prägnanz in einer Übersetzung nur unvollkommen ausgedrückt werden kann, eignet sich besonders gut,
um einen für die Wertung des Alters besonders wichtigen Aspekt zu erhellen –
den Aspekt der in der Lyrik entdeckten Dynamik der Zeit. Daß dieser bei vielen
Lyrikern weniger präponderierend ist als Schadewaldt annimmt, hat sich gezeigt. Auch in der Theognis-Sammlung finden sich Verse, in denen das Alter
nach anderen Kriterien beurteilt wird. Deutlich wird dies aus stark an Hesiod
anklingenden Versen: Denn obwohl in v. 271–8 dasselbe Gegensatzpaar Alter–Jugend erscheint wie in dem eben zitierten Distichon, ist für das Ganze ein
anderer Gedanke bestimmend: es geht um das Problem τί τὸ κάκιστον. Das
Kriterium für die getroffene Entscheidung liegt in der Frage, wieweit ein kakon
unvermeidbar ist oder nicht. Das ,,verfluchte Greisenalter" ist ein kakon, das
die Götter allen Menschen gleichermaßen gegeben haben[268]. Als einer Gege-
benheit, wie Tod und Krankheiten, steht ihm der Mensch machtlos gegenüber.
Ein kakon ganz anderer Art ist es, wenn die Eltern, nachdem sie unter Arbeit
und Mühen den Wohlstand des Hauses gesichert haben, von den Kindern gehaßt
und wie Bettler behandelt werden. Die Pflicht der Kinder ,,θρέπτρα ἀποδιδόναι" (s. S. 115 ff.) wird nicht eingehalten. Das Alter, das schon an sich οὐλόμενον
ist – darin liegt ein Unterschied zu Hesiod[269] – muß besonders bedrückend werden, wenn die Kinder durch ihr ungerechtes Verhalten die Ohnmacht der Älteren ausnützen. Zur allgemeinen Isolation innerhalb der Gesellschaft tritt die Isolation einer Altersstufe innerhalb der eigenen Familie. Wie sehr sich dieses Problem seit dem 7. Jh. verschärfte, beweist die solonische Gesetzgebung (s. S.
85), und wie sich die Akzente verschieben konnten, zeigt sich bei Mimnermos
(s. S. 86 ff.). In den Versen der Theognis-Sammlung wird die Unsicherheit der
ehemals ,,selbstverständlichen" Verhaltensnormen so deutlich angesprochen,

in der Teubnerausgabe von *Snell-Mähler*, 1970. Als wichtigstes Hilfsmittel ist der Kommentar von
B. H. v. Groningen (Theognis, 1966) zu nennen. *M. L. West* stellt in seiner Edition (Iambi et Elegi
Graeci I, 1971, 172) ohne eine Begründung die völlig unvorstellbare Behauptung auf: ,,Theognis
non sexto saeculo ut vulgo creditur, sed ca. 640–600 elegias composuit."

[267] *Schadewaldt*, Lebenszeit 292.

[268] Vgl. *B. H. v. Groningen*, Theognis, 1966, zur Stelle: ,,... νεότης sans epithète; le substantif
est le second élément d'une expression polaire dans laquelle, en raison du contexte, seul le premier
élément importe."

[269] Zur Abhängigkeit der v. 271 ff. von Hesiod, Erga 182 ff. vgl. *W. Nestle*, Gnomon 14, 1938,
117 ff. Hesiodanklänge bestimmen wohl auch v. 821 f.

daß die wörtliche Anlehnung an Hesiod in diesen Versen wie eine sehnsüchtige, aber hoffnungslose Reminiszenz erscheint.

Besonderen Grund zur Klage bietet in der Theognis-Sammlung häufig das Motiv „Armut", ein kakon, das alle Lebensstufen gleichermaßen betrifft. In den v. 173 ff.[270] müssen Alter, Krankheit und Tod als Motive aufgeboten werden, um dem Hörer einzuschärfen, daß es auf der Welt nichts Schlimmeres als die Armut gibt. Sie übernimmt in der Sammlung häufig die Rolle des Ursprunges aller Übel, die Mimnermos dem Greisenalter zugewiesen hatte[271]. Die Absetzung der Armut als gegenüber dem Greisenalter größeres Übel bedeutet keine Rehabilitierung für letzteres. Im Gegenteil: das, was nach der Meinung des Dichters das Schlimmste ist, tritt in absoluter Negativität erst hervor, wenn die Vergleichspunkte von den Hörern als eigentlich höchstmögliche kaka begriffen werden, denen nun ein weiteres, noch größeres entgegengestellt wird.

Wie verbreitet und topisch das Motiv Alter–Tod[272] war, ergibt sich aus einem Stück Gelagepoesie, das sicher nur eines von unzähligen und nicht allzu verschieden gearteten war. Der Dichter mahnt (v. 757–768), die Sorge um den drohenden Krieg zu vergessen, unbelastet das Leben zu genießen und den Gedanken an Alter und Tod aus dem Herzen zu verbannen[273]. Indirekt dasselbe besagen die Verse 973–978: da der Tod unvermeidlich ist, soll man das Leben genießen, solange einer noch bewegliche Knie hat und sein Kopf nicht zittert, letzteres ein neues Motiv bei der Beschreibung von Alterssymptomen (s. S. 111). Ebenfalls in die Welt des Symposion gehören die Verse 1129 ff., in denen die verschiedenen, bisher besprochenen Aussagen zum Greisenalter nebeneinander auftauchen. Auch in diesem Punkt zeigt sich, wie so häufig in der Theognis-Sammlung, daß einige wenige Motive sich stets wiederholen und Variationen weniger durch neue Gedanken als durch wechselnde Ponderierung erreicht wird. Denn in den zu besprechenden Versen enthält das zweite Distichon denselben Gedanken wie die Verse 527 f., wobei hier die Aussage über die beiden Lebensstufen durch ὀλοφύρομαι nicht weniger geschickt verklammert sind als dort durch den Ausruf ὤμοι. Im Gegensatz zu den Versen 173 ff. wird das Motiv Armut gegen das Motiv Alter so ausgespielt, daß ersteres zurücktritt. Je nach Bedarf, so scheint es, werden die Motive verwendet. Die Selbstverständlichkeit aber, mit der das geschieht, ist ein deutlicher Hinweis auf ihren topischen Charakter. Dies ist insofern wichtig, als wir damit zu rechnen haben, daß innerhalb der Symposiondichtung, die unendlich reich gewesen sein muß, das Greisenalter

---

[270] Ob die v. 179 ff. noch zum Vorausgehenden gehören oder einen eigenen Abschnitt bilden, muß offen bleiben.

[271] Zur Bedeutung des Motives ‚Armut' in der Theognissammlung vgl. *J. Kroll*, Theognisinterpretationen, Philologus Suppl. 19, 1936, 218 ff. Zur Motivverschiebung s. o. S. 87 ff. Den Endpunkt der dort skizzierten Tendenz stellt ein Elaborat wie Theognis 1007 ff. dar.

[272] Die Austauschbarkeit der Motive ergibt sich aus v. 1069 ff.

[273] Zur Bedeutung von ἀμύνειν vgl. *B. H. v. Groningen*, Theognis, 1966, z. Stelle.

als grundsätzlich negativ zu bewertende Lebensstufe gesehen wurde. Flucht der Jugend und Nähe des Todes sind die Koordinaten, innerhalb derer in diesem Kreis dem Alter sein Platz zugewiesen wird. Auf jeden Fall steht es auf der negativen Seite; wenn nicht an erster Stelle, so nur, um die immer noch negative Folie für ein noch größeres Übel abzugeben.

13. BACCHYLIDES[274]

Den Topos von der Unsicherheit menschlichen Glückes hat Bacchylides in fr. 25 mit besonderer Rücksicht auf die zeitliche Dimension formuliert:

Παύροισι δὲ θνατῶν τὸν ἅπαντα χρόνον δαίμων ἔδωκεν
πράσσοντας ἐν καιρῶι πολιοκρόταφον
γῆρας ἱκνεῖσθαι, πρὶν ἐγκύρσαι δύαι.

Der Daimon hat eine ganze Lebenszeit ohne Unglück nur den wenigsten gegeben[275]. – Daß Bacchylides τὸν ἅπαντα χρόνον, um die Zeit in ihrer ganzen Ausdehnung zu betonen, durch πολιοκρόταφον γῆρας ἱκνεῖσθαι spezifiziert, zeigt, wie das Greisenalter unbelastet und neutral als letzterreichbare Lebensstufe ins Blickfeld rückt. Solch einfache Zeugnisse sind wichtig, weil sie das Greisenalter als natürlich zum Lebensganzen gehörig erfassen, unabhängig von jeder apologetischen oder abwertenden Tendenz[276]. Sobald aber die Altersstufen für sich betrachtet werden, ist das Greisenalter anfälliger gegenüber Sorgen und Unglück und wird besonders drückend, wenn es von Krankheit begleitet und unter dem Aspekt der Todesnähe gesehen wird, ein seit Homer traditionelles Motiv (s.S. 111). Die Reaktion der einzelnen Dichter auf die Herausforderung durch das Alter hat sich als höchst verschieden erwiesen. Bacchylides sucht den Ausgleich zur Unvermeidlichkeit von Alter und Tod in der Unsterblichkeit des Ruhmes, wie es sich aus dem Schlußteil von Ep. III ergibt[277]: nach der Priamel der Werte (v. 85ff.), die zeigen soll, wie die Elemente aufgrund ihrer ewigen Regenerationskraft nie entarten, folgt der Gegensatz (v. 85ff.):

φρονέοντι συνετὰ γαρύω· βαθὺς μέν
αἰθὴρ ἀμίαντος· ὕδωρ δὲ πόντου
οὐ σάπεται· εὐφροσύνα δ' ὁ χρυσός·
ἀνδρὶ δ' οὐ θέμις, πολιὸν π[αρ]έντα
γῆρας, θάλ[εια]ν αὖτις ἀγκομίσσαι

---

[274] Zusammenfassende Übersicht zum Stand der Forschung bei *J. Stern*, An Essay on Bacchylidean Criticism, in „Pindar und Bacchylides", Wege der Forschung, 1970, 290ff.

[275] Zum Motiv vgl. *Gundert*, Pindar A. 107.

[276] Zum Gedankengang vgl. *Simonides* fr. 523.

[277] Vgl. *J. Dumortier*, De quelques associations d'images chez Bacchylide, Mélanges Desrousseaux, 1937, 151ff.

ἥβαν. ἀρετᾶ[ς γε μ]ὲν οὐ μινύθει
βροτῶν ἅμα σ[ώμ]ατι φέγγος, ἀλλὰ
Μοῦσά νιν τρ[έφει.]

Die Kräfte des Körpers schwinden mit dem Alter; das ist, wenn auch indirekt, so doch deutlich in Vers 90/91 gesagt. Der Mensch kann sich nicht regenerieren, und der Wunsch, am weißhaarigen Alter vorbei wieder die blühende Jugend zu erreichen, ist illusorisch. Das Greisenalter zeigt sich im Gegensatz zur Jugend deutlich in seiner Schwäche[278]. Dem wird nun nicht etwa eine positive, altersspezifische Eigenschaft entgegengestellt, sondern die Konstanz des Lichtes der Areta, das von der Muse genährt wird. Damit ist der Anschluß an den die Priamel beistimmenden Gedanken wiedergewonnen und der ganze gegensätzliche Komplex Jugend–Alter in eine andere Dimension verschoben. An die Stelle der nicht zurückzuholenden Blüte der Jugend (v. 89 θάλειαν ἥβην) treten die ὄλβου ἄνθεα (v. 93/94), die den Sieg und dessen Blüten hervortreten ließen[279]. Daß diese nicht in Vergessenheit geraten, garantiert der Dichter durch sein Lied. Wenn Fränkel zu v. 85 ff. schreibt: „der Mensch geht die Bahn seines Lebens in einer Richtung durch, was ihm widerfuhr (wie das Altern) kann er nicht wieder von sich abtun, aber die ewigen Elemente regenerieren sich selbst aus ihrer Tiefe"[280], so müßte man hinzufügen, daß das Lied den Ruhm der Arete und damit das, was den Wert des Hieron ausmacht, für alle Zeiten „regeneriert"[281]. Das klingt pindarisch. Aber daß die Schwäche des Alters direkt angesprochen wird, findet sich bei Pindar nicht. Die unmittelbare Bedeutung der Verse wird recht eigentlich erst dann deutlich, wenn man bedenkt, daß der Adressat Hieron, schon alternd, todkrank war. Die Beschwerlichkeit des Alters steigert sich in diesem Fall noch über das direkt Gesagte, wenn man, was Bacchylides zum Motiv Krankheit am Ende von Ep. I sagt, auf Hieron überträgt. Um so stärker muß das Bedürfnis sein, einen Ausgleich auf einer anderen Ebene zu suchen.

Ein ganz anderer Zusammenhang bestimmt das Motiv Greisenalter in fr. 20 A; dieses eigenartige „Enkomion" hat Snell[282] ausführlich behandelt und überzeugend als Invektive gegen einen Vater erwiesen, der seiner Tochter zu heiraten verbietet. Paraphrasierend schreibt er zu den ersten beiden Strophen: „…dann war aber sehr nahe am Beginn des Gedichtes von einem Mädchen die Rede, das (zu Hause) sitzt und ihrem Vater zürnt. Sie verflucht ihn, weil er sie

---

[278] Diese Schwäche des Alters wird, als allgemeines Menschenlos, allerdings nicht durch negative Prädikation hervorgehoben. Bacchylides sagt nicht etwa στυγερόν, ὀλοιόν o. ä., sondern benützt das neutrale πολιόν.
[279] Zur Klärung des Verhältnisses der Metaphern ‚Blüte der Jugend – Blüte des Sieges' müßte die Siegesprädikation allgemein untersucht werden.
[280] *Fränkel*, DuPh 532 und 538 A, 3.
[281] Zum Motiv ‚Dichter als Garant der Unvergänglichkeit des Ruhmes' vgl. *Gundert*, Pindar passim.
[282] *B. Snell*, Bacchylides' Marpessagedicht, Hermes 80, 1952, 156 ff. (= Pindar und Bacchylides, Wege der Forschung, 1970, 421 ff.).

drinnen hält. Von v. 13 an wird dieser Vater mit Euenos verglichen, der seine Tochter Marpassa nicht hat verheiraten wollen"[283]. Das Ergebnis seiner Untersuchung faßt Snell folgendermaßen zusammen: „So drängt sich der Gedanke auf, daß der Vater und die Tochter, von denen zunächst die Rede ist, lebende Personen aus dem Umkreis des Bacchylides sind, und das Gedicht würde verwandt werden mit der Epode des Archilochos gegen Lykambes."[284] Diese Interpretation Snells wurde absichtlich ausführlicher referiert; denn wenn es auch für unsere Fragestellung keinen grundlegenden Unterschied macht, ob in fr. 20 A das Subjekt zu ἱκετεύει etwa Hippodameia oder eine lebende Person aus dem Umkreis des Bacchylides ist, so erhalten doch im letzteren Fall zweifellos die ersten beiden Strophen des Fragments unmittelbarere und intensivere Bedeutung.

Zum Text: Daß das mit τάλαινα (v. 8) bezeichnete Mädchen Subjekt zu καθημένη – ἄχθεται – ἱκετεύει ist, steht außer Frage; v. 7: entsprechend der Gesamtinterpretation Snells ist καμοῦσα zu lesen; v. 8: eine Entscheidung zwischen Κῆρας – Ἄρας – ᾿ Ερινῦς ist kaum möglich. Zweifellos stellt dieser Vers die größte Schwierigkeit für Snells These dar, solange χθονίας ungeklärt bleibt; v. 9: statt des früher allgemein angenommenen στυγερόν scheint nun die Lesung ὀξύτερον gesichert; v. 10/11 durch μούνην ἔχων ist Subjektwechsel gefordert; die zu v. 10 vorgeschlagenen Ergänzungen ἤνυσε ζόην oder εἵλκυσεν βίον haben den Nachteil, daß unmittelbar an den Fluch durch καί verbunden, die Wirkung des Fluches – zudem in einem anderen Tempus – angeschlossen wird. Der Vorschlag von Kapp ὅστ᾿ ..... γάμων paßt sich besser in den Gedankengang ein. Entscheiden läßt sich das freilich nicht; v. 12: dieser Vers kann sich nur auf das Mädchen beziehen. Mit dem Ergänzungsversuch γένοιτό οἱ würde auch diese Aussage noch zu der Verwünschung gehören. Dem widerspricht, daß das Motiv „weiße Haare" vollkommen neutral ist und nach ὀξύτερον γῆρας eine nicht zu rechtfertigende Abschwächung darstellen würde.

Danach läßt sich mit einiger Sicherheit soviel feststellen: ein Mädchen sitzt (festgehalten im Hause)[285]; die Unglückliche zürnt dem Vater und bittet in ihrer Not unterirdische Mächte, daß der Vater ein schärferes[286] Alter durchstehen möge .... der Vater hält sie allein im Hause fest ... Weiß werden die Haare auf ihrem Haupt werden.

Diese Verse sind darin besonders aufschlußreich, daß das Alter von zwei Seiten her, die sich doch im Endeffekt wieder zusammenschließen, thematisch

---

[283] *Snell*, Bacchylides (s. A. 282) 162.
[284] *Snell*, Bacchylides (s. A. 282) 161.
[285] Zu καθημένη vgl. Pindar O. I, 83.
[286] ὀξύτερον sonst in ähnlicher Bedeutung in Verbindung mit Schmerz oder Krankheit; vgl. z. B. Λ 268; Pindar O. VIII, 85. Eigenartig ist der Komparativ. Das Alter soll dem Fluch entsprechend ein möglichst schlimmes sein und eben dadurch wohl auch, obwohl das nicht ausdrücklich gesagt wird, einen rascheren Tod herbeiführen. Angedeutet scheint dies mit τελέσαι.

wird: 1. dem Vater wird ein schlimmes Alter angewünscht; 2. dem Mädchen selbst droht die Gefahr, ein unerfülltes Leben bis zum Alter im Hause führen zu müssen. In beiden Fällen steht das Alter unter negativem Aspekt, nicht per se, sondern bestimmt von den aus der gegebenen Situation hinzutretenden Umständen.

Soweit sich aufgrund des sehr spärlichen Materials überhaupt etwas allgemeines sagen läßt, erscheint das Greisenalter bei Bacchylides für sich genommen neutral oder unter dem Aspekt der abnehmenden Körperkräfte. Da der Mensch Alter und Tod nicht entgehen kann, muß er sich Unsterblichkeit im Ruhm seiner Arete suchen.

14. PINDAR[287]

Die in der Einleitung erörterte Beschränkung der vorliegenden Untersuchung auf die direkten Äußerungen zum Greisenalter muß im Falle Pindars besonders gerechtfertigt werden. Denn wie bei kaum einem anderen Dichter der Antike sind die Epinikien Pindars in ihren verschiedenen Entwicklungsstufen faßbar, so daß sich eine ganze Reihe seiner Lieder zu einem Alterswerk zusammenschließen. So liegt in diesem Fall die Forderung besonders nahe, danach zu fragen, wie sich das Greisenalter implizit in diesem Alterswerk selbst darstellt.

Die moderne Forschung hat sich mit der formalen und gedanklichen Entwicklung Pindars immer wieder beschäftigt, so, um nur die wichtigsten Untersuchungen zu dieser Frage zu nennen: Wilamowitz, Schadewaldt, Gundert, Nierhaus, Theiler, Fränkel[288]. So entscheidend die dabei gewonnenen Ergebnisse für Kontinuität und Wandel der Gestalt pindarischer Dichtung sind, wurde doch die Frage nach dem inneren Zusammenhang zwischen wechselnder Gestalt der Dichtung und Altersstufe kaum gestellt. Symptomatisch für den augenblicklichen Stand der Forschung sind die Untersuchungen Bowras und Thummers[289]: Bowra skizziert auf den letzten Seiten seines Buches im Anschluß an die ältere

---

[287] Zur Sekundärliteratur über Pindar vgl. E. *Thummer*, AnzAlt 11, 1958, 65ff. und 19, 1966, 289ff.; B. E. *Gerber*, A bibliography of Pindar 1513–1966, 1969.

[288] U. v. *Wilamowitz-Moellendorff* (Pindaros, 1922) hat durch die der Chronologie der Epinikien folgenden Anlage seines Werkes die Voraussetzung für die Frage nach dem Alterswerk geschaffen. W. *Schadewaldt*, Der Aufbau des pindarischen Epinikion, 1928 behandelt das Verhältnis von Programm und persönlicher Absicht in seiner Wandlung vom verhältnismäßig gebundenen Jugendwerk zur freieren Entfaltung in den Liedern der mittleren Zeit. H. *Gundert* hat in einem Aufsatz (Der alte Pindar, Mnemosyne, Festschr. Wiegand, 1938, 1ff.) und umfassender in seinem Buch (*Gundert*, Pindar) versucht, das Denken des alten Pindar in seiner Krisis zu verstehen. R. *Nierhaus*, (Strophe und Inhalt im pindarischen Epinikion, 1936) stellt die formale Entwicklung zur Straffreiheit und Tektonik im Aufbau der spätpindarischen Lieder heraus. W. *Theiler* (Die zwei Zeitstufen in Pindars Stil und Vers, 1941) sammelt viele Detailbeobachtungen zur Form, für deren Wandlung er den wichtigsten Beitrag geleistet hat. *Fränkel*, (DuPh) hat ähnlich wie Gundert die neuen Aspekte im Denken des alten Pindar weiter herausgearbeitet, ohne freilich seine Einzelbeobachtungen im Sinne einer Interpretation des Alterswerkes auszuwerten.

[289] C. M. *Bowra*, Pindar, 1964; *Thummer*, Religiosität; dazu vgl. H. *Gundert*, Gnomon 41, 1969, 625ff.

Forschung die allgemeinen Züge einer Entwicklung; relevant wird dieser Aspekt in seiner Abhandlung nicht. Auch Thummer notiert zwar die chronologischen Daten der pindarischen Gedichte. In seinen systematischen Kapiteln jedoch spielt die Frage, ob frühes oder spätes Gedicht, keine Rolle[290]. Das wirkt sich nachteilig aus, weil eine von Gundert als für das spätpindarische Denken besonders wichtig herausgearbeitete Tendenz, nämlich die immer mehr in den Vordergrund tretende Unsicherheit menschlichen Seins, nicht zu Worte kommt – eine Tendenz, die wenig zu der Grundthese Thummers von der „Religion der Sicherheit" bei Pindar paßt. Eine umfassende Behandlung aber der spätpindarischen Lieder als Alterswerk, die, auf sprachlichen Kriterien aufbauend, im Denken altersspezifische Züge herausarbeiten wollte, bedürfte einer eigenen Untersuchung. Besonders kompliziert wird dieser Sachverhalt, wenn wie in I.VII der „alte" Pindar in der Ich-Form über das Alter spricht. Denn das Problem des „lyrischen Ich" bleibt auch nach den neuesten Arbeiten ungeklärt[291]. Wenn also hier von der Möglichkeit, die Selbstdarstellung des Greisenalters im Alterswerk zu erfassen, kein Gebrauch gemacht wird, so liegt die Rechtfertigung weniger in der Sache als im augenblicklichen Stand der Forschung[292].

Überblickt man die direkten Äußerungen zum Thema Greisenalter in Pindars Werk, so fällt das Fehlen einiger Motive auf, die für die übrige frühgriechische Dichtung von Bedeutung sind. Nirgends findet sich z.B. bei Pindar auch nur eine angedeutete Skizze des äußeren Erscheinungsbildes eines alten Menschen. An einer einzigen Stelle (I.VI, 15) wird das Greisenalter weißhaarig genannt, ein Kennzeichen, das sich zwar indirekt in O.IV, 24ff. wiederholt, aber doch eben nur angeführt ist, um als täuschend erwiesen zu werden. Während damit „die" Angaben zum Äußeren der alten Menschen erschöpft sind, spricht Pindar vom äußeren Erscheinungsbild der Jugend häufiger und konkreter, obwohl die Adressaten seiner Epinikien keineswegs nur junge Menschen sind. Diesem Weniger in der Beschreibung des Alters, das sich kaum nur aus der formalen Genos-Bindung der Epinikien erklären läßt, steht ein Mehr an Motiven gegenüber, die sich teilweise eng an Homer und Hesiod anschließen. Eine besondere Rolle spielen – wie bei Pindar nicht anders zu erwarten – „Arete und Ruhm" auch für die Stellung des Alters.

In fr. 143 nimmt Pindar den Topos auf, daß Alter, Krankheit und Tod für das menschliche Leben ebenso bestimmend wie den Göttern fremd sind: „denn jene

---

[290] Auch in seinem Kommentar verzichtet *Thummer* (Pindar, Die isthmischen Gedichte, I, II, 1968/9) auf diese Fragestellung ausdrücklich, ja lehnt sie ab (z.B. Bd. I, 13f.).

[291] Vgl. *Fränkel*, DuPh 543 A. 12; *O. Tsagarakis*, Die Subjektivität in der frühgriechischen Lyrik, Diss. München, 1966. Da auch die Datierung von I. VII völlig offen ist, bleibt der biographische Bezug höchst zweifelhaft.

[292] Dazu müßte grundsätzlich auf Grund der neuesten Erkenntnisse der Pindarforschung geklärt werden, wieweit es überhaupt legitim ist, Pindars Werk nach Person und Persönlichkeit des Dichters abzufragen.

sind ohne Krankheiten, ohne Alter und unerfahren der Mühen, entkommen der dumpfdröhnenden Fahrt über den Acheron". Das dreizeilige Fragment gliedert sich formal in zwei Teile (je 1 u. 1/2 Verse): a) κεῖνοι ..... ἄπειροι b) partizipial angeschlossen βαρυβόαν ..... Ἀχέροντος. Es soll nicht weiter untersucht werden, wie das Verhältnis der beiden Teile zueinander genauer zu verstehen ist. Wichtig ist, daß das Fragment in seinen vier Einzelaussagen zunächst feststellt, was den Göttern wesensfremd ist, nicht was die Menschen bedrückt. Natürlich assoziiert sich der Gedanke, der in den weiteren – uns verlorenen – Versen vielleicht auch expliziert wurde: die Menschen aber leiden unter Krankheiten, Alter usw.; entscheidend ist die Blickrichtung, aus der das Alter, hier im Gegensatz zu den Göttern, die den Tod und damit die Vorstufe zum Tod, das Alter, nicht kennen, für die Menschen als Übel erscheint. Bezeichnenderweise verbindet Pindar das Wort γῆρας mit einer Ausnahme[293] nur dann mit einem negativen Epitheton, wenn es in einem Zusammenhang erscheint, in dem unmittelbar göttliches vom menschlichen Sein abgesetzt werden soll: N.X, 82ff. stellt Zeus Polydeikes vor die Wahl, entweder göttliche Unsterblichkeit zu genießen oder sein Los mit dem Bruder zu teilen. Göttliches Sein aber heißt von Tod und „verhaßtem" Alter frei zu sein (v. 83): θάνατόν τε φυγὼν καὶ γῆρας ἀπεχθόμενον. P.X, 30ff. schildert Pindar das selige Leben der Hyperboreer. Wie die Mühen, Kämpfe und die ὑπέρδικος νέμεσις, so sind ihnen auch Krankheiten und das „verwünschte" Alter fremd:

νόσοι δ' οὔτε γῆρας οὐλόμενον κέκραται
ἱερᾷ γενεᾷ

(v. 41/42)[294]. Dieser Topos bleibt seit Homer konstant: im Vergleich mit den alterslosen Göttern erscheint das Greisenalter dem Betroffenen als gänzlich negativ. Doch eingeführt wird das Paradigma der Hyperboreer nicht in die Form einer Klage, sondern um den Vater des Siegers, der die höchste Stufe menschlichen Glückes erreicht hat, daran zu mahnen ὁ χάλκεος οὐρανὸς οὔ ποτ' ἀμβατὸς αὐτῷ (v. 27).

Dem Alter, d.h. seinem Schicksal als Menschen, wird Phrikias nicht entgehen. Doch was menschenmöglich ist, hat er erreicht, auch die Hoffnung auf ein ruhiges Alter: er selbst zweimaliger Sieger, erlebt noch den Sieg seines Sohnes. Die Voraussetzungen für ein γῆρας λιπαρόν sind gegeben[295].

---

[293] fr. 52, a 1.

[294] Krankheit, Alter und Mühen (noch erweitert um ‚Kämpfe') stehen hier ähnlich wie in fr. 143 nebeneinander.

[295] Auf die vieldiskutierte Frage, ob die Geschichte von den Hyperboreern mehr den Gegensatz oder eher die Ähnlichkeit von Siegerglück und Hyperboreerseligkeit betonen soll, kann hier nicht weiter eingegangen werden. Zuletzt hat sich *A. Köhnken* (Die Funktion des Mythos bei Pindar, UaLG 12, 1971, bes. 154ff.) für die Ähnlichkeit eingesetzt. Er schreibt zusammenfassend: „Pindars Lied bringt Phrikias (und Hippokleas) in das Land der Hyperboreer und läßt sie für einen Augenblick an einer Seligkeit jenseits der irdischen Grenzen teilhaben." Dieses Motiv a) Trennung von

Doch führen alle überstandenen Mühen nur zum Erfolg, wenn die Götter das κῦδος geben. P II, 49 ff.:

θεὸς ἅπαν ἐπὶ ἐλπίδεσσι τέκμαρ ἀνύεται,
θεός, ὃ καὶ πτερόεντ' αἰετὸν κίχε, καὶ θαλασ-
σαῖον παραμείβεται
δελφῖνα, καὶ ὑψιφρόνων τιν' ἔκαμψε βροτῶν,
ἑτέροισι δὲ κῦδος ἀγήραον παρέδωκ'.

Das Epitheton ἀγήραος erscheint in dieser Verbindung hier zum ersten Mal, es fehlt sonst in der frühgriechischen Lyrik überhaupt, während es bei Homer und Hesiod geläufig ist, und zwar im Sinn von alterslos = ewig[296]. Pindar verwendet es außer an dieser Stelle nur noch in dem eben zitierten Fragment 143 – dort als Epitheton für die Götter. Die sprachlich neue Formulierung in P. II,52 gibt der Stelle Gewicht, stellt der Interpretation aber auch ein neues Problem, das mit der Bedeutung des Wortes κῦδος zusammenhängt. Die Arbeiten von Steinkopf und Greindl[297] stimmen darin überein, daß κῦδος immer an die Person gebunden, also nach dem Tod nicht mehr vorhanden ist[298], was aber nicht bedeutet, daß es an einen bestimmten Personenkreis, etwa nur an die Könige, gebunden wäre. Aus den Zusammenstellungen bei Greindl (S. 5f.) ergibt sich, daß das Wort κλέος seit Homer häufig in Verbindung mit Adjektiven steht, die die Dauer bezeichnen (ἄσβεστον, ἄφθιτον, ἀέννναον, ἀθάνατον), während κῦδος in der frühgriechischen Dichtung nur an einer einzigen Stelle mit einem Adjektiv, das die Dauer bezeichnet, verbunden wird, eben in P II, 52 (Greindl, S. 31; auf die Problematik der Stelle geht er nicht ein). Zwischen κῦδος und ἀγήραον besteht eine offensichtliche Diskrepanz. Zwar schreibt Steinkopf (S. 62f.) nach einem Vergleich von P II, 49 ff. und 89 ff. zu κῦδος: „auch ἀγήραον meint nicht das ewig Dauernde, sondern das nicht altert, nicht krank wird." Als Beleg zitiert er Pindar fr. 143, das oben besprochen wurde. So einfach läßt sich die Frage nicht lösen. Denn so viel hat sich in der vorliegenden Arbeit ergeben, daß das Wort ἀγήραον ebenso wie ἀθάνατον und ἄνοσον (ohne Alter, Krankheit und Tod) eben göttliches Sein und damit ewige Dauer ausdrückt. Wenn die Götter einem Menschen κῦδος geben, wie Hieron, und dieser ihn nicht von sich aus verdunkelt, besitzt er das Höchste, was für den Menschen erreichbar ist, fast etwas

menschlichem und göttlichem Sein und b) deren zeitlich begrenzte Überwindung in Fest und Gesang, ein Motiv, das im homerischen Apollonhymnus schon angelegt ist, freilich ohne daß ein kausaler Zusammenhang zwischen a) und b) hergestellt wird (s.o. S. 7ff.), wäre dann von Pindar übernommen und wesentlich umgestaltet worden. Daß Köhnken auf den Apollonhymnus nicht eingeht, erstaunt.

[296] Vgl. o. S. 6 ff.

[297] *G. Steinkopf*, Untersuchungen zur Geschichte des Ruhmes bei den Griechen, Diss. Halle 1937; *M. Greindl*, κλέος, κῦδος, εὖχος, τιμή, φάτις, δόξα. Eine bedeutungsgeschichtliche Untersuchung des epischen und lyrischen Sprachgebrauchs. Diss. München 1938.

[298] Vgl. *Fränkel*, DuPh 88 A. 14.

„Göttliches"; denn in diesem Sinn muß κῦδος interpretiert werden. Daß damit die beiden Worte nicht überinterpretiert sind, erweist sich aus den übrigen Äußerungen Pindars zu unserem Thema. Wenn der Dichter vom Alter spricht, so meist in dem Sinn, daß gleichzeitig nach Leistung und Ruhm gefragt wird. Unter diesem Aspekt wird das Alter in O. VIII gesehen. Pindar sagt dort zum Sieg des Knaben Alkimedon (v. 70 ff.):

πατρὶ δὲ πατρὸς ἐνέπνευσεν μένος
γήραος ἀντίπαλον·
᾽ Ἀΐδα τοι λάθεται
ἄρμενα πράξαις ἀνήρ.

Der Sieg des Alkimedon und der daraus für das ganze Geschlecht sich ergebende Ruhm erfüllt den alten Großvater mit der Vitalität seines μένος, das dem Greisenalter gewachsen ist (ἀντίπαλον). Ein γήραος ἄλκαρ ist dem Menschen versagt, so stand es im Apollonhymnos[299]. Dem widerspricht Pindar nicht. Aber mit dem Sieg des Enkels entsteht eine Kraft, die dem Greisenalter – wie auch immer – gewachsen ist. Da das μένος als γήραος ἀντίπαλον bezeichnet wird, muß das Alter für sich genommen als defizient gedacht sein, wobei gerade an dieser Stelle das Fehlen negativer Epitheta auffällt. Ebensowenig wird gesagt, worin die Defizienz besteht. Das Thema der beiden folgenden Verse ist der Tod, der wie das Alter durch den Sieg seine gerade für den alten Menschen besonders beherrschende Rolle verliert. In der Nachbarschaft des Todes gesehen, also vom Ende her und nicht vom Anfang, als letzter Stufe des Lebensganzen wie in N. IX, 44 tritt das Alter in das Zwielicht des Vergehens. Wenn hier Alter und Tod so nebeneinanderstehen[300], wird die Schwäche des Alters in der Abnahme der körperlichen Vitalität bestehen. Daß dem Alter die Tatkraft fehlt, das physische Vermögen, sich körperlich einer großen Gefahr auszusetzen, geht aus den Worten des Pelias hervor (P. IV, 157 ff.), freilich auch an dieser Stelle nur indirekt und aus dem Gegensatz dessen, was über die Jugend gesagt wird, zu erschließen. Pindar scheint eine Scheu davor gehabt zu haben, die Schwäche des Alters direkt Gestalt gewinnen zu lassen. Dieser Schwäche steht in O. VIII das Menos als ebenbürtiger Gegner gegenüber. Was aber ist mit diesem Menos gemeint? Grundsätzlich entspricht die Bedeutung des Wortes in der Lyrik der Bedeutung bei Homer, wie Snell sie umschrieben hat: „Menos etwa ist die Kraft, die man in den Gliedern spürt, wenn es einen juckt, auf irgend etwas loszugehen"[301]. Menos kann von der Kraft des Feuers oder der Sonne gesagt werden[302]. Jedenfalls

[299] Vgl. o. S. 13 ff. und A. 295.
[300] Ein anderer Aspekt bestimmt die Gegenüberstellung in O. I, 82 f., wo Alter und Tod gegeneinander ausgespielt werden; vgl. u. A. 300.
[301] *Snell*, EdG 41 und 267.
[302] Vom Feuer: Bacch. fr. 3,54; von der Sonne: Solon fr. 1, 23; Pindar fr. 129,1; vom Unwetter: Solon fr. 10,1; vom Kämpfer: Mim. fr. 13, 1 und 13,6; von Apollon: Pindar fr. 52f, 88; vom Zorn der Artemis: Pindar P. III, 32.

aber scheint mit dem Wort eher eine Kraft in ihrer Dynamik gemeint zu sein. Eine solche aber kommt vorzüglich der Jugend zu; und nicht zufällig wird das Wort bei Pindar, der es nur viermal gebraucht, in zwei Fällen mit Artemis oder Apoll in Verbindung gebracht (s. A. 302). Wenn nun ausgerechnet μένος in O.VIII als γήραος ἀντίπαλον erscheint, mag das zunächst paradox anmuten, besonders im Hinblick darauf, wie sehr das formelhafte μένος ἐμπνεῖν im Epos auf die Tatkraft im Kampf hin gesagt ist;[303] aber es wird verständlich, wenn man bedenkt, daß die Quelle für dieses Menos der Sieg des jungen Alkimedon ist. Die erfolgreiche Leistung des Enkels gibt dem Großvater neue Lebenskraft, die dem Alter ein ebenbürtiger Gegner ist[304]. Der Sieg eines Familienmitgliedes zieht alle übrigen Angehörigen in seinen Kreis und läßt die Grenzen ihrer Altersstufen, ja auch die des Todes vergessen. Das Lob des Sieges wird dadurch besonders gesteigert.

Ein Versuch, die verschiedenen, hier beobachteten Motive zu schematisieren, führt ungefähr zu folgendem Ergebnis:

1. Das Alter für sich genommen braucht einen Ausgleich, ist also mit Schwächen behaftet.
2. Wenn Pindar den Gegensatz Gott–Mensch nicht direkt ausspricht, wird das Alter weder negativ prädiziert noch seine spezifische Schwäche direkt ausgedrückt.
3. Leistung und Bewährung im Sieg – Ausdruck der Arete – sind ein entscheidendes Kriterium für die Frage, wie das Alter vom Einzelnen erfahren wird.
4. Dem Sieg entspringt für die ganze Familie eine lebensspendende Kraft.
5. Die starke Verbindung der Generationen innerhalb eines Geschlechtes – ein Grundmotiv pindarischer Dichtung – verhindert die Isolierung einer Altersstufe.

Diese Motive sind weitgehend auch für die übrigen Äußerungen über das Greisenalter bestimmend.

O.I: Der Pelopsmythos verdeutlicht paradigmatisch das Verhältnis κῦδος – γῆρας. Der Heros, gerade zum Jüngling erwachsen (v. 67ff.), bittet Poseidon um Sieg im Wettkampf gegen Oinamaos; die Worte, die er bei der Begründung seiner Bitte sagt, könnten als Motto über allen Epinikien stehen und dürfen als solche gewertet werden, da sie, vom Gründerheros selbst gesprochen, den ersten aller Wettkämpfe betreffen (v. 81ff.)[305]:

ὁ μέγας δὲ κίν-
δυνος ἄναλκιν οὐ φῶτα λαμβάνει.
θανεῖν δ' οἷσιν ἀνάγκα, τά κέ τις ἀνώνυμον

---

[303] Vgl. z.B. K 482; O 60 und 262; Y 110.
[304] Zu ἀντίπαλον vgl. N. XI, 26 und I. V, 61.
[305] Zum folgenden vgl. *Gundert*, Pindar 25ff.

γῆρας ἐν σκότῳ καθήμενος ἕψοι μάταν,
ἁπάντων καλῶν ἄμμορος;

Das große Wagnis[306], in dem sich der Mensch überhaupt erst als der, der er ist, erweisen kann, steht nicht jedem Beliebigen offen. Sterben müssen alle, wie und wann es jedem bestimmt ist. Wem aber die ἀλκή fehlt, und wer – aus Furcht, sein Leben zu verlieren – sich dem Wagnis entzieht, der mag zwar ruhig ein hohes Alter erreichen, das sich aber als wenig erstrebenswert erweist, ja letztlich leer und wertlos ist. In den wenigen Worten, die im Munde des noch ganz jungen Heros am Phänomen Alter ex negativo den Wert des Sieges und im weiteren Sinne jeder großen Leistung zeigen soll, klingen fast alle Motive an, die das pindarische Denken über Sieg und Ruhm bestimmen: ἀνώνυμος zu sein im Leben oder nach dem Tod bedeutet vollkommene Selbstaufgabe[307]; ἐν σκότῳ zu leben ist der für Pindar höchst bezeichnende metaphorische Ausdruck für eine solche Scheinexistenz[308]; καθήμενος bezeichnet die Inaktivität, die nichts hervorbringt; unter diesen Umständen ist das Leben im Alter nichts als ein vergebliches Sich-selbst-Erhalten ἕψοι μάταν[309], – zusammengefaßt: es verliert: ἄπαντα τὰ καλά. Durch die Häufung der negativen Prädizierungen, die abgesehen von ἁπάντων καλῶν ἄμμορος[310] gleichwertig nebeneinanderstehen und dasselbe Phänomen durch wechselnden Aspekt Alter hinein nichts nützt, wenn es um den Preis der Ruhmlosigkeit erkauft ist. Es ist, modifiziert, die Alternative, die für Achill bestimmend ist. Anzunehmen, daß diese mit Sicherheit für alle Zukunft dauern wird, widerspricht dem Schlußteil. Ein Greisenalter im Dunkeln ist bei entsprechenden Umständen mit Sicherheit zu erwarten. Die Dauer der „Windstille" läßt sich allenfalls erhoffen. Das ist entscheidend! Denn daß der Pelopsmythos direkt auf Hieron bezogen ist, steht außer Frage; darin aber eine Garantie für Hieron zu sehen, geht nicht an[311]. Kürzer ist dasselbe in P. IV, 186 ff. zusammengefaßt. Das positive Gegenbild zum γῆρας ἐν σκότῳ steht in den Versen O. I, 97 ff. Die Bewährung im Wettkampf läßt durch den „weithin blickenden Ruhm" (v. 93/4) für das g a n z e weitere Leben „honigsüße Windstil-

---

[306] Zu κίνδυνος vgl. H. J. Mette, Die große Gefahr, Hermes 80, 1952, 410.

[307] Das Wort bei Pindar nur an dieser Stelle. Der zugrunde liegende Gedanke bedarf keiner Belege.

[308] Vgl. Gundert, Pindar passim. Der ganze Passus läßt bei aller Verschiedenheit des Anlasses und der Situation an die selbstauferlegte Untätigkeit des Achill denken (vgl. A 488 ff.).

[309] Den Sinn von ἕψοι genau zu bestimmen, gelingt nicht. Methaphorisch wie an dieser Stelle wird das Wort sonst nirgends gebraucht. Vgl. P. IV, 186.

[310] Wie verschieden der Sinn von καλά gegenüber ähnlichen Formulierungen bei den frühen Lyrikern ist, braucht nicht extra ausgeführt zu werden.

[311] So Thummer, Religiösität, 83 ff. Gegen seine These von der Sicherheitsgarantie für Hieron hat H. Gundert, Gnomon 41, 1969, 625 ff. nachdrücklich Einspruch erhoben. Möglicherweise ist fr. 124 (ἐλπὶς γηροτρόφος) mit dem Gedanken an ungestörtes Dasein verbunden. Doch muß auf eine Auswertung dieser Worte hier verzichtet werden, nachdem Q. Cataudella (Ἐλπὶς γηροτόφος e ἐλπὶς κουροτρόφος, AcPhil. 3, 1964, 85 ff.) gezeigt hat, wie unsicher die Texttradition ist, ein Umstand, der in den meisten Editionen nicht einmal vermerkt ist.

le" μελιτοτόεσσαν εὐδίαν[312] erhoffen. Die Apotheose des Herakles (N. I, 69ff.) ist von demselben Motiv bestimmt; freilich, für ihn, der Hebe zur Frau erhält, gilt „Windstille" für die Ewigkeit. Für den Menschen gilt das eingeschränkt λοιπὸν ἀμφὶ βίοτον. Wenn also der μέγας κίνδυνος mit Hilfe der Götter erfolgreich bestanden ist, so kann ein Alter erhofft werden, das nicht von den in v. 81 ff. beschriebenen Negativa bestimmt ist.

Erreicht hat diese „εὐδία" der Adressat von N. IX. Einige Indizien sprechen dafür, daß Chromios, als dieses Gedicht für ihn verfaßt wurde, sich dem Alter näherte. In den Versen 44 f. faßt Pindar die Leistungen des Chromios zusammen:

ἐκ πόνων δ', οἳ σὺν νεότατι γένωνται
σύν τε δίκᾳ, τελέθει πρὸς γῆρας αἰὼν ἡμέρα.
ἴστω λαχὼν πρὸς δαιμόνων θαυμαστὸν ὄλβον.

Wieder erscheint das Leben und seine letzte Stufe, das Greisenalter, unter dem Aspekt der früher „in Begleitung des Rechts" vollbrachten Leistung, hier allerdings nicht im Wettkampf, sondern im Krieg. αἰὼν ἡμέρα entspricht μελιτόεσσα εὐδία, wobei ἡμέρα pointierter zu erkennen gibt, was unter einem erstrebenswerten Alter zu verstehen ist (vgl. ἡσυχία v. 48 u. P. VIII bes. 96 ff: μείλιχος αἰών). Das Außerordentliche der glücklichen Situation des Chromios wird durch θαυμαστόν hervorgehoben; hat er sich doch zu dem äußeren Glück auch das κῦσος ἐπίδοξον erworben und damit zugleich auch, wenn man den obigen Erörterungen folgt, das κῦδος ἀγήραον. Noch weiter zu streben, würde die den Menschen gesetzten Grenzen überschreiten (v. 47). Entscheidend für die Stellung des Greisenalters ist auch hier nicht die Frage nach dem Eigenwert, sondern es sind die πόνοι, οἳ σὺν νεότατι γένωνται, ein Motiv, das besonders deutlich den Gedanken in fr. 227 bestimmt.

Die in der Jugend durchgestandenen Mühen und der daraus resultierende Erfolg können ein „ruhiges" Alter[313] bringen, doch nur dann, wenn auch die nachfolgende Generation die Familientradition fortsetzt oder zumindest das Weiterleben des Geschlechts garantiert. Denn die Abhängigkeit des Alters von den Jüngeren tritt dann besonders deutlich zutage, wenn die Gefahr droht, daß das ganze Geschlecht durch Kinderlosigkeit untergeht – ein Motiv, dem bei Homer und Hesiod eine besondere Bedeutung zukommt, so wenn in fr. 94 a, 14 ff. auf die Gnome über Sterblichkeit und Unsterblichkeit der Gedanke folgt, daß der Mensch, dessen Haus nicht kinderlos ist, auch nach dem Tode weiterlebt. Derselbe Gedanke liegt dem Gleichnis in O. X, 86 ff. zugrunde. Hagesi-

---

[312] *Thummer* (Die isthmischen Gedichte, 68) übersetzt εὐδία mit ‚Mittagsstille‘, doch bedeutet das Wort eindeutig ‚Windstille‘ im Gegensatz zu Sturm.

[313] Zur Bedeutung des Motives ‚Ruhe‘, besonders in den Altersgedichten, vgl. *Gundert* (Der alte Pindar, Mnemosyne, Festschr. Wiegand, 1938, 9 ff.).

damos freut sich über das verspätet eingetroffene Gedicht wie ein Vater, der schon auf der Gegenseite der Jugend steht, über einen spätgeborenen Sohn. Denn wie das Haus in fremde Hände gerät, sich auflöst und untergeht, so geht auch der Sieger in Namenlosigkeit unter, wenn ihm nicht das Lied zu Seite steht. Der Gedanke an den Verlust einer kontinuierlichen Fortdauer bestimmt beide Seiten. Die Isolation, in die das Greisenalter gerät, wenn der Fortbestand des Geschlechts nicht gesichert ist, kommt einem Todesurteil gleich. Mag das Gleichnis auch konventionell sein, an Bedeutung verliert es nicht; denn dadurch, daß der für Pindar wohl wichtigste Gedanke, die Abhängigkeit der Tat vom Lied, in solcher Intensität durch das Bild „alter Vater – spätgeborener Sohn" verdeutlicht werden kann, bestätigen und steigern sich beide Motive gegenseitig[314]. Mit besonderer Kunst und spürbarer, wenn auch sehr zurückhaltender Teilnahme, hat Pindar denselben Gedanken, der die Metapher in O. X bestimmt, in der Heimkehrszene des Jason und der ersten Begegnung mit dem alten Vater in P. IV ausgesprochen. Jason kehrt in seine Heimat zurück (v. 78ff.). Auf der Agora erkennt ihn niemand (v. 86). Es folgt das Intermezzo der ersten Begegnung Pelias–Jason (v. 94ff.). Endlich äußert Jason den Wunsch, den väterlichen Palast zu sehen (v. 117/118). Direkt an die Rede des Jason auf der Agora schließt sich die Erkennungsszene im Palast an (v. 120ff.):

ὣς φάτο· τὸν μὲν ἐσελθόντ᾽ ἔγνον ὀφθαλμοὶ πατρός·
ἐκ δ᾽ ἄρ᾽ αὐτοῦ πομφόλυξαν
    δάκρυα γηραλέων γλεφάρων,
ἂν περὶ ψυχὰν ἐπεὶ γάθησεν, ἐξαίρετον
γόνον ἰδὼν κάλλιστον ἀνδρῶν.

Die Augen des Vaters erkennen den Sohn sogleich. Freudentränen quellen aus den „greisen Wimpern" – nur mit diesem Wort wird auf das Alter des Aeson hingewiesen. Übermächtig ist die Freude beim Anblick seines alle anderen übertreffenden Sohnes. Unausgesprochen, aber doch aus der Situation zu erschließen ist die Verlassenheit und hilflose Lage des alten Aeson, den plötzlich, wohl auch wie den Großvater des Alkimedon, neues Menos erfüllt mit dem unerwarteten Erscheinen des Sohnes, der in der Vollkraft seiner Jugend steht (v. 158). Wieder zeigt sich an Aeson das Greisenalter in seiner unausgesprochenen Schwäche und Abhängigkeit von der Jugend.

Darin schließen sich die bisher besprochenen Stellen zusammen, daß die Frage nach der „Eigenwertigkeit" des Greisenalters nicht gestellt wird. Es könnte sogar der Eindruck entstehen, sie sei bereits verneint, angesichts der immer wieder in den Vordergrund rückenden Abhängigkeit von der Jugend. Aber parallel zu dieser Abhängigkeit steht eine Abhängigkeit in umgekehrter Richtung, die aufs engste mit dem pindarischen Phya-Denken zusammenhängt. Die Quintessenz dieses Denkens läßt sich am besten mit Pindars Worten selbst zusammenfassen:

---

[314] Zum Vergleich vgl. *M. Bernard*, Pindars Denken in Bildern, 1965, 47 f.

φυᾷ τὸ γενναῖον ἐπιπρέπει ἐκ πατέρων παισὶ λῆμα (P. VIII, 44/45). Die Kontinuität des Geschlechtes verlangt nicht weniger die Verbindung zur Vergangenheit durch die Vorfahren, als die Verbindung zur Zukunft durch die Kinder. Durch die gegenseitige Verklammerung und die Betonung der (Familien-) Tradition, die für die Leistung der Jüngeren Voraussetzung ist – ein Motiv, das in fast keinem der Epinikien fehlt[315] –, wird vermieden, daß die „ältere Generation" isoliert gesehen wird. Diese Isolation aber war für die meisten der frühgriechischen Lyriker das gravierendste Problem bei der Auseinandersetzung mit dem Greisenalter. Es verwundert nicht, daß demgegenüber die von Pindar eingenommene Position in manchem dem ähnelt, was sich aus Homer und Hesiod für unser Thema ergeben hatte (s. S. 20 ff.), wenn auch die Bewußtseinsebene eine andere ist.

Das Motiv „Kontinuität der Generationen" beherrscht weitgehend den Gedanken in P. X. Der junge Hippokles hat mit seinem Sieg die vom Vater ererbte Art, der seinerseits zweimal siegreich war, unter Beweis gestellt (v. 12 ff.) und damit zugleich seine Abhängigkeit von den Vorfahren dokumentiert. In den preisenden Versen (v. 22 ff.) ergänzen sich zwei Motive: durch seine Siege hat sich der Vater selbst, so läßt sich aus dem oben Besprochenen schließen, der μελιτόεσσα εὐδία versichert. Dazu kommt, daß der Sohn seinerseits dank der angestammten Art einen Sieg errungen hat. Nicht nur der Fortbestand des Geschlechtes ist also gesichert, sondern zugleich seine Areta erneut bestätigt; und damit sind alle Voraussetzungen für ein ruhiges Alter gegeben. Die höchste Stufe des Glückes ist erreicht; alterslos und unsterblich zu werden ist unmöglich, wie der unmittelbar anschließende Mythos von dem Hyperboreern zeigt (s. S. 98 f.). Doch möglich ist es, dem Alter seine Last zu nehmen und als Mensch unter solchen Bedingungen zu wünschen, zum Alter zu gelangen[316].

Die meisten der bisher besprochenen Motive, die das Greisenalter betreffen, sind vereint im Schlußteil von N. VII. Pindar bittet Herakles, seinen „Nachbarn" auf Aigina, den Knabensieger Sogenes unter seinen Schutz zu nehmen, und schließt diese Bitte mit den Worten (v. 98 ff.):

εἰ γὰρ σύ ἱν ἐμπεδοσθενέα βίοτον ἁρμόσαις
ἥβᾳ λιπαρῷ τε γήραϊ διαπλέκοις
εὐδαίμον' ἐόντα, παίδων δὲ παῖδες ἔχοιεν αἰεί
γέρας τό περ νυν καὶ ἄρειον ὄπιθεν.

Ein von Grund auf gefestigtes Leben von der Jugend bis zum Alter im Glück soll dem Sieger beschieden sein, den Kindern aber derselbe Ehrenpreis oder gar ein noch besserer. Diese Verse sind besonders wichtig, da für einen Knaben sein

---

[315] Die Stellen sind zusammengestellt bei *Thummer*, Isth. Gedichte, I, 49 ff.
[316] Derselbe Gedanke bestimmt fr. 52 f., 116. Beklagt wird das ‚Nicht-Erreichen' des Alters.

ganzes Leben (βίοτος)³¹⁷ abgesprochen wird, differenziert durch zwei Altersstufen. Daß sich dabei ἥβη und γῆρας als einzige Komponenten des menschlichen Lebens herausstellen, ist für die Terminologie wichtig. Wie schon in der Einleitung angedeutet (s. S. 1 ff.), zeigt sich auch hier, daß es in der frühgriechischen Dichtung einen bestimmten Terminus für die Altersstufe zwischen γῆρας und ἥβη nicht gegeben hat. Zwar werden παῖδες – ἄνδρες παλαίτεροι (vgl. N. III, 72 f.) als Gruppen unterschieden, aber die Gliederung nach Lebensaltern beschränkt sich auf ἥβη – γῆρας. Damit erweist sich der Ansatz des mimnermischen Denkens als in seiner Art konsequent und weniger paradox, als es dem modernen Empfinden erscheint. In den zitierten Versen aus N. VII steht ἥβη im Gegensatz zu γῆρας ohne Epitheton (mit Sicherheit auszuschließen ist, daß λιπαρῷ in irgendeinem Sinn ἀπὸ κοινοῦ zu verstehen sein könnte). Unmittelbar aus der Terminologie erweist sich γῆρας als ambivalenter Begriff, der erst durch seinen Kontext oder durch ein Epitheton, hier λιπαρῷ, in eine Richtung festgelegt wird. Was aber γῆρας zum λιπαρὸν γῆρας macht – die Formulierung ist aus der Odyssee übernommen, ohne daß sich der Inhalt deckt(s. S. 111 ff.) –, sind die bekannten Motive. Der Sieg ist als Voraussetzung gegeben. Wenn der Gott ein in den Fundamenten festgefügtes Leben gewährt und, nicht weniger wichtig, auch der Fortbestand des Geschlechtes gesichert ist, so daß später neue Siege der Kinder dem Vater das μένος γήραος ἀντίπαλον „einhauchen", ist das Alter erwünschtes Lebensziel, das, hier von der Jugend her gesehen, später der Punkt sein wird, von dem aus das im Lebensganzen Geleistete überblickbar wird. In diesem Umkreis ist zu suchen, was den Inhalt von λιπαρόν ausmacht, dem einzigen positiven Epitheton, das Pindar mit dem Begriff Alter verbindet.

Was der Dichter in N. VII dem jungen Sogenes für eine fernere Zukunft von Herakles erbittet, dasselbe ist in I. VI Thema des Wunsches, den Lampon, der Vater des Siegers ausspricht (v. 14ff.):

τοίαισιν ὀργαῖς εὔχεται
ἀντιάσαις ᾿Αΐδαν γῆράς τε δέξασθαι πολιόν
ὁ Κλεινίκου παῖς·

τοίαισιν ὀργαῖς³¹⁸ faßt das in der vorausgehenden Gnome Gesagte zusammen. Lampon ist zuteil geworden, was den Menschen überhaupt erreichbar ist, und sein Streben soll sich mit den gegebenen Grenzen abfinden. So kann er mit Ruhe auf Alter und Tod blicken. Sprachlich findet die beruhigte Erwartung darin ihren Ausdruck, daß nicht etwa Tod und Alter als aktiv zufassend und herankommend Subjekt des Satzes sind, sondern Lampon selbst. Geläufig war eine

---

³¹⁷ βίοτος ist die in sich nicht differenzierte Lebenszeit; vgl. O. I, 97; II, 29; VIII, 87; X, 23; P. II, 26; I. IV, 5. Der Gedanke, daß das Leben als kontinuierliches Ganzes zu begreifen ist, ist seit Solon und Anakreon für die Einschätzung des Greisenalters ein überaus wichtiger Aspekt. Wenn Empedokles (fr. B 152) sich tatsächlich in dem von Aristoteles zitierten Sinn geäußert hat, liegt der Metapher vom ‚Abend des Lebens' dieser Gedanke zugrunde.
³¹⁸ Zur Bedeutung von ὀργή vgl. Gundert, Pindar A. 86.

solche Formulierung vor Pindar vornehmlich als negative Aussage (er kam nicht zum Alter). Noch deutlicher wird dasselbe in I. VII,41. Denn zu ἔπειμι γῆρας muß der Hörer unmittelbar γῆρας ἐπερχόμενον assoziieren. Der entscheidende Bedeutungsunterschied der beiden Aussagen trotz gleicher Worte ergibt sich aus der Verschiebung der aktiven Seite. Der Grund dafür, daß sich das Alter unter diesem Aspekt sehen läßt, ist wieder das Motiv:

ἐκ πόνων δ', οἳ σὺν νεότατι γένωνται
σύν τε δίκᾳ, τελέθει πρὸς γῆρας αἰὼν ἡμέρα

Auch in I. VI erscheint das Alter in der Nachbarschaft des Todes als Lebensstu-fe, die fast ganz von dem Glanz lebt, der aus vergangenen Leistungen und den Siegen der Söhne resultiert. Und so bleibt eine Frage noch unbeantwortet. Zwar kommt der Generation der Älteren, wie sich aus dem Phya-Denken ergeben hat, eine natürliche und fest umreißbare Funktion innerhalb des Geschlechtes zu, und es erhält dadurch seinen Platz neben den anderen Altersstufen, geachtet und geehrt von den Jüngeren, wie es in P. VI für Xenokrates – Thrasyboulos am Bei-spiel Nestor – Antilochos dargestellt ist[319]; aber ob ein γῆρας zum γῆρας λιπα-ρόν wird, erwies sich doch vornehmlich als abhängig von den πόνοι δ' οἳ σὺν νεότατι γένωνται. Spricht Pindar überhaupt von nur dem Alter spezifisch zu-geordneten Eigenschaften? Diese Frage stellt sich um so dringlicher, als das Mo-tiv der Schwäche im Alter für das Verständnis einiger der bisher besprochenen Stellen wichtig erschien, ohne daß es von Pindar expliziert wurde. Der von dem Dichter „in eigener Sache" gesprochene Satz θεόθεν ἐραίμαν καλῶν, δυνατὰ μαιόμενος ἐν ἁλικίᾳ (P. XI, 50/51) kann nur bedeuten, daß es einen καιρός oder ein μέτρον für jede Altersstufe gibt[320].

Dem entspricht N. III, 70ff.

ἐν δὲ πείρᾳ τέλος
διαφαίνεται ὧν τις ἐξοχώτερος γένηται,
ἐν παισὶ νέοισι παῖς, ἐν {δ'} ἀνδράσιν ἀνήρ, τρίτον
ἐν παλαιτέροισι, μέρος ἕκαστον οἷον ἔχομεν
βρότεον ἔθνος· ἐλᾷ δὲ καὶ τέσσαρας ἀρετάς
< ὁ> θνατὸς αἰών, φρονεῖν δ' ἐνέπει τὸ παρκείμενον.
τῶν οὐκ ἄπεσσι· χαῖρε, φίλος·

Dazu schreibt Bowra: „Pindar has his eye on the Games as the test of a man's worth, and that is why he introduces the subject, but he extends his concept of it to other activities and advances the notion that each of the three ages of man pro-vides its own opportunities for testing, and his means that he is no longer thin-king simply of the Games but of the expansion of human activities as man passes to maturity and age. He suggests that these differ with a man's years, and though he does not specify what they are, this is a reasonable view in which honours are

[319] Vgl. I. I, 4.
[320] Vgl. *Fränkel*, DuPh 541 A. 11.

paid to athletes, whose heyday is necessarily brief and must be replaced by other ambitions and other achievements. We may assume that the test provided in youth and first manhood by the Games is offered later by other tests no less exacting."[321] Auch an dieser Stelle wird das προκείμενον für die verschiedenen Generationen nicht näher bestimmt. An drei Stellen jedoch deutet Pindar an, daß das Alter sich für ihn, wie ja auch für Homer durch die βουλή auszeichnet. Dieses homerische Motiv, das außer bei Pindar in der frühgriechischen Lyrik kaum eine Rolle spielt, wird aber auch von diesem genau so sparsam verwendet, wie die negative Prädikation, so z. B. in P II. Im Jahre 475 war Hieron sicher nicht mehr νέος, so daß mit νεότατι (v. 63) und βουλαὶ πρεσβύτεραι (v. 65) zwei verschiedene Altersstufen angesprochen werden, der Scholiast aber, der zu v. 65 bemerkt: οἷον ὑπὲρ τὴν νεότητα βουλεύῃ, unrecht hat. Damit stehen sich νεότατι–θράσος und βουλαὶ πρεσβύτεραι als zwei für je eine andere Altersstufe eigentümliche Eigenschaften gegenüber. Dieser besondere Vorzug der Älteren, der in den Gedichten Pindars eigentlich nur an dieser Stelle und in den schönen Versen über die Lebensordnung Spartas (fr. 199) – die Garzya als Motto über seine Alkmanausgabe gesetzt hat – angesprochen wird, scheint sogleich wieder zurückgenommen durch das in P. IV über Damophilos Gesagte (v. 281f.)

> κεῖνος γὰρ ἐν παισὶν νέος,
> ἐν δὲ βουλαῖς πρέσβυς ἐγκύρ-
> σαις ἑκατονταετεῖ βιοτᾷ.

Damophilos, dessen Alter wir nicht kennen, der aber sicher weder besonders jung war noch gar im Greisenalter stand, verbindet in sich Eigenschaften, die eigentlich spezifisch für beide Altersstufen sind. Derselbe Gedanke auch in P. V, 109ff. Mit dieser Verschiebung der Eigenschaften[322] scheint das Alter den Anspruch auf den ihm allein eigenen Vorzug der βουλή abtreten müssen. Aber gerade diese Stellen lehren das Gegenteil. Denn die Ausnahme, und als eine solche soll Damophilos zweifellos bezeichnet werden, bezeugt indirekt die Gültigkeit der Norm, nach der das βουλεύεσθαι als mit wachsendem Alter immer zunehmend gedacht wird, wobei die Übersteigerung, die in ἐν παισὶν ἑκατονταετεῖ liegt, durch den Gegensatz ἐν παισίν evoziert ist[323].

Pindars Äußerungen zum Alter sind im Ganzen bestimmt von dem seit Solon immer stärker hervortretenden Denken, das das Leben als kontinuierliches Ganzes erfaßt; das Alter ist die Lebensstufe, die zwar im Blick auf die Götter negativ praediziert wird, im menschlichen Bereich aber grundsätzlich positiv oder negativ erscheinen kann, je nachdem, was im Leben geleistet wird, oder, so jedenfalls scheint es mir, je nachdem, ob es dem Menschen gelungen ist, sich κυ-

---

[321] *Bowra*, EGP 179f.; vgl. *Gundert*, Pindar 13 A. 24.

[322] Entsprechend ist auch eine Verschiebung der körperlichen Merkmale möglich, wie die Geschichte von Erginos (O. IV, 19ff.) zeigt. Die weißen Haare, das Alterskennzeichen par excellence, können häufig ein falsches Urteil provozieren, da sie auch bei jungen Menschen auftreten.

[323] Zum Topos ‚puer-senex‘ s. o. A. 93.

δος ἀγήραον zu erwerben oder nicht. Nicht weniger wichtig ist für die Stellung des Greisenalters die Konstanz des Geschlechtes. Auffallend ist, daß das äußere Erscheinungsbild ganz in den Hintergrund tritt, stärker als es sich allein aus Pindars Stil und Sprache erklären ließe. Wichtig ist der Blickwechsel vom γῆρας ἐπερχόμενον zum „Menschen, der auf das Alter zugeht.“

Bei Pindar werden die Motive Alter und Jugend–Alter als Gegensätze selten thematisch. Die Frage, wie Pindar sein eigenes Alter – er starb im hohen Alter – erfahren und beurteilt hat, kann nicht behandelt werden, da unsicher bleibt, ob er in den Epinikien direkt von sich im „biographischen Sinn“ spricht. Auch das Theoxenosfragment kann nicht als sichere Quelle gelten. Aber auch wenn I. VII, 40 ff. keine Selbstaussage ist, wäre es kaum vorstellbar, daß Pindars persönliche Einstellung zum Alter sich wesentlich von dem unterscheidet, was er in den zitierten Versen sagt.

Um die Stellung des Alters, wie es sich aus den pindarischen Gedichten ergibt, richtig zu beurteilen, ist zu beachten, daß er für einen ganz bestimmten Kreis und für bestimmte Anlässe dichtet. Klagen über das Alter wären in einem Epinikion kaum zu erwarten – doch wird umgekehrt ein positives Altersbild nur selten und indirekt ausgesprochen. Diese Zurückhaltung kann nicht nur ‚genosbedingt‘ sein. Auch der Anlaß „Sieg–Siegesfreude“ kann dafür nicht der einzige Grund sein, da in den Epinikien der Sieg Ausgangspunkt für den Dichter ist, die Lebensauffassung des angesprochenen Kreises insgesamt zu beschreiben und zu deuten, also auch die Stellung des Alters.

Als wichtigste Kriterien für die Wertung des Alters hat sich aus den erhaltenen Gedichten folgendes ergeben:

Wenn der Gegensatz „göttliches–menschliches Sein“ direkt angesprochen wird, erweist sich das Alter wie der Tod als kakon. Doch werden gerade diese Paradeigmata (z. B. Hyperboreer) von Pindar eingeführt, um den Sieger darauf hinzuweisen, sich auf das zu besinnen, was er „als Mensch“ erreichen kann. Dem Tod ist nicht zu entgehen, ewige Jugend unmöglich. Das Alter gehört integral zum menschlichen Sein.

Unter diesem Aspekt ist das Alter zunächst „neutral“, d. h. weder von vornherein gut oder schlecht. Diese „Neutralität“, die sich in der oben besprochenen Zurückhaltung ausdrückt, erklärt sich aus der zeitlichen Stellung Pindars. In der vorpindarischen Lyrik wurde die Problematik des Alters und der Isolation des Einzelnen wie auch der Altersstufen so scharf beleuchtet, daß z. B. eine positive Wertung des Alters nicht mehr selbstverständlich vorgetragen werden konnte. Das Thema Greisenalter war sozusagen „vorbelastet“. Pindar setzt anders ein: Das Alter an sich ist neutral. Ob es zu einem γῆρας ἀνώνυμον oder γῆρας λιπαρόν wird, hängt von der Leistung des Einzelnen und von der Gunst der Götter ab. Die Leistung des Einzelnen wiederum ist möglich nur im festen Verband mit der Tradition der Familie. Dadurch wird die Isolation der einzelnen Altersstufen überwunden. Wenn allerdings ein vom Einzelnen nicht beeinflußbares Schicksal, wie z. B. der Tod der Kinder, eintritt, sind auch die πόνοι, die in der Jugend zum Erfolg führten, keine Garantie für ein „ruhiges Alter".

Wenn aber die entsprechenden Voraussetzungen erfüllt sind, ist das Alter ein Lebensabschnitt, zu dem zu gelangen natürlicher Wunsch jedes Menschen ist. Das Alter ist dann γῆρας λιπαρόν oder Ende eines αἰὼν ἡμέρα, wie überhaupt für Pindar „glückliches Alter" vor allem „ruhiges Alter" bedeutet. Daß sich das Alter durch die βουλή besonders auszeichnet, wird fast nur angedeutet.

Besonders wichtig ist, daß Pindar vom Menschen sagen kann: „er geht auf das Alter zu". Nicht das Motiv γῆρας ἐπερχόμενον ist bestimmend, nicht ein Alter, das plötzlich hereinbricht, sondern der Blick, der von Anfang her das Leben als Kontinuum erfaßt. So kann für einen ganz jungen Sieger der Wunsch geäußert werden: γῆρας δέξασθαι πολιόν (I. VI, 14).

Darin zeigt sich nicht nur der Unterschied in der Sehweise zu den meisten Lyrikern vor Pindar, sondern auch zu Homer. Obwohl fast alle Motive, die Pindar bei der Beschreibung des Alters anführt, an Homer anklingen, ist die Bewußtseinslage grundverschieden. Die „Selbstverständlichkeit" der Stellung von Jugend und Alter – für die homerische Gesellschaft charakteristisch – gilt für Pindar nicht mehr. Die Unsicherheit des menschlichen Daseins wird auch in dem Kreis, für den Pindar dichtet, zu stark erfahren. Am deutlichsten kommt die Unsicherheit bei Theognis zum Ausdruck. Doch ist Pindar mit seiner Einstellung nicht nur Exponent einer ausgehenden Epoche. Denn die „innere Aktivität", mit der der Mensch, wie Pindar ihn sieht, sein Leben von Anfang bis Ende kontinuierlich durchläuft und die in der eben besprochenen „Blickwendung" besonders deutlich wird, drückt sich das Bewußtsein einer neuen Epoche aus. Das ist – archäologisch gesprochen – die Zeit des „strengen Stiles", philologisch gesprochen, die des Aischylos.

C MOTIVE BEI DER BESCHREIBUNG DES GREISENALTERS

Im Laufe der Untersuchung hat sich ergeben, daß in der frühgriechischen Lyrik bestimmte Motive für die Kennzeichnung und Beschreibung des Greisenalters immer wieder verwendet werden. Gerade dieser Umstand hat es erlaubt, die Bedeutungsverschiebung zu beobachten, welche die einzelnen Motive in der Dichtung von Homer bis Pindar erfahren. Daß einige Motive zu bestimmten Zeiten besonders betont, andere erst ‚entwickelt' oder zumindest sprachlich formuliert und dadurch der bewußten Reflektion zugänglich gemacht werden, ist für das vorliegende Thema nicht weniger bedeutsam.

Um die wichtigsten Ergebnisse der Einzelinterpretationen möglichst übersichtlich darzustellen, werden im folgenden die Motive katalogartig zusammengestellt. Da in diesem Katalog die einzelnen Motive isoliert und unabhängig von der Häufigkeit ihres Auftretens einfach aufgezählt und dadurch einseitig betont werden, sind die Einzelinterpretationen jeweils als Korrektiv zu vergleichen.

KATALOG DER MOTIVE

I Symptome des Alters

a) Symptome, die das ‚Äußere' des Menschen betreffen

1. Allgemein kann das Alter durch die Abnahme der körperlichen Kräfte insgesamt bezeichnet werden. Charakteristisch sind die zu γῆρας tretenden Epitheta wie ὀλοιόν, στυγερόν etc. Diese allgemeine Charakterisierung findet sich mehr oder weniger in fast allen der behandelten Texte.

2. Besondere, altersspezifische Körpermerkmale:
weiße Haare, Glieder, bzw. Knie werden schwach, gebeugter Körper, Runzeln, stumpfe Augen, Zittern, schlechte Zähne.
Ilias
Formelhaft: „weiße Haare–weißes Kinn". Allgemeine Charakterisierung im Vordergrund, kaum Detailangaben. Altersschwäche bedeutet: Unfähigkeit, am Kampf teilzunehmen.

Odyssee
Mehr Detailzüge als in der Ilias. Verwandlung des Odysseus, stumpfe Augen, runzlige Haut. Schwäche des Alters wird Prüfstein für das Verhalten der Jüngeren.

Hesiod
Kaum Detailangaben über körperliche Verfallserscheinungen. Schwäche als Kennzeichen für das Alter, wenn es nur im Sinn der körperlichen Destruktion verstanden wird.

Homer. Hym.
Aphroditenhymnos: allgemeine Entkräftung. Alter – nur unter dem Aspekt der körperlichen Destruktion gesehen – trennt die Bereiche von Göttern und Menschen.

Alkman
Knie tragen nicht: Topos für die Angabe, daß Alkman nicht mehr am Chor teilnehmen kann.

Tyrtaios
Weiße Haare, Knie werden schwach: neutrale Altersbezeichnung ohne besondere Betonung der Entkräftung.

Sappho
Weiße Haare, Knie werden schwach, Haut wird runzlig: der körperliche Verfall bedroht die Welt der jugendlichen Liebe.

Alkaios
Weiße Haare, Knie werden schwach: Altersschwäche bedeutet Unfähigkeit, am politischen Kampf teilzunehmen.

Ibykos
Explizit keine Detailangaben.

Anakreon
Weiße Haare, graue Schläfen, schlechte Zähne: Altersschwäche als vorgeschobenes Argument, um der Gefahr zuvorzukommen, vom Symposion und dem damit verbundenen Leben ausgeschlossen zu werden.

Semonides
Explizit keine Detailangaben.

Solon
Explizit keine Detailangaben, allgemein nur Konstatierung der Abnahme der Körperkräfte. Jeder Lebensstufe kommt eine bestimmte Eigenschaft zu.

Mimnermos
Kaum Detailangaben, Alter fast nur allgemein und nur durch negative Epitheta bezeichnet. Der alte Mensch wird häßlich, d.h. er wird nicht mehr geliebt und geachtet.

Theognis
Knie werden schwach, Kopf zittert: körperliche Schwäche bedeutet Isolierung der Alten.

Bacchylides
Explizit keine Detailangaben. An die Stelle des „Weißen Haares" tritt die Metapher „Weißes Alter".

Pindar
Explizit keine Detailangaben.

3. Alter als Stufe der körperlichen Destruktion, besonders pointiert in Verbindung mit Alter, Krankheit und Tod (im folgenden abgekürzt: AKT)

Ilias
A und T als Grenze zwischen göttlichem und menschlichem Sein.

Odyssee
Übereinstimmung mit Ilias.

Hesiod
Weltaltermythos; AKT als Strafe in zunehmender Verschärfung sind Kennzeichen für die Depravation des Menschen.

Homer. Hym.
A und T sind exemplarisch für die Grenzen zwischen menschlichem und göttlichem Sein.

Alkman
Keine expliziten Angaben.

Tyrtaios
Keine expliziten Angaben.

Sappho
A und T als Grenze zwischen menschlichem und göttlichem Sein exemplarisch dargestellt durch den Tithonosmythos.

Alkaios
Keine expliziten Angaben.

Ibykos
Keine expliziten Angaben.

Anakreon
A und T werden gegeneinander ausgespielt; Bezug auf göttliches Sein fehlt.

Semonides
AKT werden nicht als Beleg für körperliche Destruktion, sondern für die Nichtigkeit menschlichen Hoffens angeführt.

Solon
AKT erscheinen als Negativfolie, um den Genuß der Jugend zu steigern.

Mimnermos
AKT sind unentrinnbare, den Menschen automatisch treffende Übel, die seiner Jugendblüte, d.h. seiner eigentlichen Existenz ein Ende setzen.

Theognis
A und T werden als Negativfolie angeführt, um den Genuß der Jugend zu steigern.

Bacchylides
A ist für den Menschen, im Gegensatz zu den Göttern Vorstufe zu T.

Pindar
AKT werden im Sinn der homerischen Epen, Hymnen und Hesiods Bezeichnung für die Grenzen zwischen menschlichem und göttlichem Sein.

b) Symptome, die das ‚Innere‘ des Menschen betreffen: Mehr-Wissen, Das-Rechte-Wissen (Garant für Ordnung), Güte; geistig-seelische Aktivität trotz Abnahme der Körperkräfte; Gegensatz: Verminderung des Nous.

Ilias
Die Gerontes garantieren durch ihr „Mehr-Wissen“ Recht und Ordnung; Nestor ist in diesem Sinn exemplarisch, atypisch jedoch durch seinen „Reckencharakter“.

Odyssee
Die für die Ilias typische Rolle der Alten wird in Frage gestellt, betont wird besonders die Sorgsamkeit und Treue der alten Diener.

Hesiod
Zusammenfassende Darstellung der „geistig-ethischen“ Aspekte in der Gestalt des Nereus; Güte und „Das-Rechte-Wissen“ treten in den Vordergrund.

Homer. Hym.
Aphroditenhymnos: die extreme Verurteilung des Alters wird möglich durch Übergehen der geistig-ethischen“ Aspekte.

Alkman
Keine expliziten Angaben.

Tyrtaios
Die Gerontes verdanken ihre fest umrissene Stellung im Staat ihrem „Mehr-Wissen".

Sappho
Keine expliziten Angaben.

Alkaios
Erstmalig wird ausdrücklich festgestellt, daß auch der Thymos altert.

Ibykos
Keine expliziten Angaben.

Anakreon
Keine expliziten Angaben.

Semonides
Alter vereitelt das Hoffen der Jugend.

Solon
Das „Mehr-Wissen" kann anwachsen, alternd kann der Mensch immer weiter lernen. Der Höhepunkt der geistigen Kraft ist an eine bestimmte Zeit im Altersprozeß gebunden.

Mimnermos
Der Nous unterliegt nicht weniger als der Körper der zerstörenden Kraft des Alters.

Theognis
Keine expliziten Angaben.

Bacchylides
Keine expliziten Angaben.

Pindar
Die Anerkennung des „Mehr-Wissens" der alten Menschen wird neu und gegenüber Homer „abstrakter" begründet.

II Das Greisenalter und seine Abhängigkeit von der Struktur der jeweiligen Umwelt:

Tradition, Familie–Polis; göttlicher Schutz für Schwache; das Alter in seiner Anfälligkeit gegenüber negativen Begleitumständen; Jugend–Alter in gegenseitiger Abhängigkeit.

Ilias
Alte und junge Menschen stehen in „selbstverständlicher" Verbindung durch die Familientradition. Aufgabenteilung: die Alten als Garanten von Recht und

Ordnung; Verpflichtung der Jungen, die Stellung der Alten durch ihre Tatkraft zu erhalten. Glückliches Alter ist nur möglich, wenn ein Sohn als Erbe vorhanden ist, so daß das Geschlecht weiterbestehen und der Familienbesitz weitergegeben werden kann. Fehlt der aktive Rechtsschutz durch die Jugend, können sich die Alten auf eine göttliche Rechtsordnung berufen.

Odyssee
Dieselben Grundmotive wie in der Ilias, doch wird die Anfälligkeit des Alters gegenüber widrigen Umständen stärker betont. Hervorgehoben wird die Gefahr, die sich aus dem Zerfall der Bindung Jugend–Alter ergibt. Die alten Sklaven werden zu Hütern der rechten Ordnung idealisiert.

Hesiod
Ähnliche Grundhaltung wie in den homerischen Epen. Der allgemeine Sittenverfall bringt die alten Menschen in besondere Notlagen. Göttlicher Rechtsschutz bleibt als einziges Regulativ für die Alten.

Alkman
Nicht Familie, bzw. Polis, sondern der Chor und das damit verbundene Leben werden zum integrierenden Faktor auch für den alternden Dichter.

Tyrtaios
Nicht Familie oder göttliche Weltordnung, sondern die Polis wird als integrierende Schutzgemeinschaft angesehen; ruhmvolle Kriegstaten garantieren gute Lebensumstände für die Alten in der Polis.

Sappho
Ähnliche Grundeinstellung wie bei Alkman, doch wird die äußere Lebensgemeinschaft ihres Kreises stärker in Frage gestellt.

Alkaios
Abgesehen von der Familien-, Polis- oder Symposionsgemeinschaft bildet der Kreis der im politischen Kampf gleichgesinnten Freunde die Gemeinschaft, in die auch der alternde Dichter einbezogen werden kann. ,,Politische" Mißerfolge werden Ursache für ein schlimmes Alter.

Ibykos
Die Grundeinstellung entspricht der Alkmans und Sapphos; die Tendenz zur stärkeren Individualisierung verschärft das Leiden im Alter.

Anakreon
Die Isolation des alternden Dichters wird ironisch gegen den drohenden Ausschluß aus der Welt des Symposions ausgespielt.

Semonides
Wohl bewußt wird auf jeden Bezug auf die Umwelt verzichtet.

Solon
Der Einzelne und sein Altern wird in eine allgemein verbindliche Lebensordnung gestellt.

Mimnermos
Völlige Negierung der gegenseitigen Abhängigkeit der einzelnen Altersstufen. Isolierung der Alten.

Theognis
Übernahme alter Motive aus dem Epos. Rücksichtslosigkeit der Jungen isoliert die Alten.

Bacchylides
Leistungen im Wettkampf und dementsprechende Lebensstellung sichern ein ruhiges Alter.

Pindar
Deutlicher Rückgriff auf homerische Motive. Die Familientradition und die gegenseitige Abhängigkeit der einzelnen Altersstufen stehen im Vordergrund, erhalten jedoch gegenüber Homer eine neue Bedeutung, da das Selbstverständnis derer, für die Pindar schreibt, nicht homogen ist.

III Die Einstellung zum Greisenalter und ihre Abhängigkeit von der Zeitauffassung:

Einteilung des Lebens in Jugend–Alter; Kontinuität des Lebens; „Schon" und „Nicht-Mehr"; verfrühtes Alter; das herannahende Alter; Alter im Altersgedicht.

Ilias
Das Leben wird polar in Jugend–Alter geteilt.

Odyssee
Das Leben wird polar in Jugend–Alter geteilt; „verfrühtes" Alter (durch negative äußere Umstände) ist Vorstufe zum „heraneilenden" Alter in der Lyrik. Das Vorausdenken auf das Alter ist impliziert in dem Wunsch, „lange zu leben und das Greisenalter zu erreichen".

Hesiod
Ein „verfrühtes" Alter (durch eine schlechte Frau) wird zwar konstatiert, doch bleiben Jugend und Alter statische Begriffe.

Homer. Hym.
Aphroditehymnos: das Alter wird als Prozeß des Alterns beschrieben.

Alkman
Das Alter wird erst im Altersgedicht thematisch. Die Polarisierung von Jugend–Alter wird betont durch die Konstatierung des „Nicht-Mehr".

Tyrtaios
Die Gruppe der weder alten noch jungen Kämpfer wird als Altersgruppe erfaßt und angesprochen. Dreiteilung der Altersstufen.

Sappho
Das Alter wird erst im Altersgedicht thematisch. Ein Vorausdenken auf das Alter fehlt.

Alkaios
Das Alter wird erst im Altersgedicht thematisch. Unterscheidung des alternden Thymos und des alternden Körpers.

Ibykos
Das Alter wird erst im Altersgedicht thematisch. Sonst keine expliziten Angaben.

Anakreon
Das Alter wird erst im Altersgedicht thematisch. Das „Nicht-Mehr" der Jugend auf das „Schon" des Alters werden gegeneinander ausgespielt. Die Integration von Jugend und Alter in den Verlauf des ganzen Lebens soll die Polarisierung der beiden Lebensstufen aufheben.

Semonides
Der Zeitaspekt wird betont durch die Plötzlichkeit, mit der das Alter hereinbricht und der menschlichen Erwartung „zuvorkommt".

Solon
Das Altern wird als dynamischer Prozeß begriffen. Nicht das Alter ergreift den Menschen, sondern der Mensch geht auf das Alter zu.

Mimnermos
Extreme Zeitraffung; das plötzliche und sehr frühe Eintreten des Alters wird Kennzeichen dieser Altersstufe.

Theognis
Extreme Betonung des „Schon" und „Nicht-Mehr".

Bacchylides
Jugend und Alter werden in den Ablauf des ganzen Lebens integriert.

Pindar
Die Dynamik der „fliehenden" Zeit wird ausgeglichen durch die Dynamik des Ruhmes, der durch die Siege im Wettkampf, d. h. durch die augenblickliche Bestätigung der „Areta" erworben wird. Im Bewußtsein der eigenen Leistung oder der durch die Familie vollbrachten Taten kann der Sieger in Ruhe auf das Alter „zugehen".

D DIE FRÜHGRIECHISCHE DICHTUNG
UND IHRE STELLUNG ZUM GREISENALTER

Die Stellung zum Greisenalter, wie und soweit sie sich aus der frühgriechischen Dichtung erkennen läßt, die verschiedenen Formen der Erfahrung des Alterns und Alters zu untersuchen, war Ziel der vorliegenden Arbeit. Da für diese Epoche die Möglichkeit, eine Statistik objektiver Daten zum Greisenalter aufzustellen, nicht gegeben ist, reduziert sich das Quellenmaterial auf die erhaltenen Texte der Dichter. Damit sind zugleich die Grenzen für die Verbindlichkeit der vorgelegten Ergebnisse gegeben. Denn wieweit die Aussagen der Dichter als allgemein verbindlich anzusehen sind, ist schwer zu sagen, zumal die Grabepigramme aus dieser Zeit, die als Korrektiv gelten könnten, zum Thema Greisenalter keine direkten Angaben enthalten.

Innerhalb dieses Rahmens war zu fragen, von welchen Motiven die Auseinandersetzung mit dem Greisenalter im Spiegel der frühgriechischen Dichtung bestimmt ist, und wie umgekehrt die Auseinandersetzung das Denken prägt, vielleicht sogar wie z.B. bei Sappho neue Möglichkeiten des Aussagens eröffnet. Es hatte sich ergeben, daß sich aus der Dichtung von Homer bis Pindar die Darstellung des Greisenalters aus einer durchgehenden Tendenz kaum erklären läßt, was von vornherein nicht zu erwarten war, da Alter und Tod eine Krisis bedeuten, die je nach persönlicher Stellung des Dichters und der Struktur der Umwelt, in der er lebt, verschieden erfahren wird. Hält man sich z.B. an den Wandel der Zeitauffassung als Leitfaden, ergibt sich, daß für einige Lyriker (Alkman, Sappho, Alkaios, Ibykos, Anakreon) das Alter keineswegs bereits von der Jugend her in seiner unaufhaltsamen Bedrohung in das Blickfeld rückte. Soweit der fragmentarische Überlieferungszustand ein Urteil überhaupt ermöglicht, sprechen die zitierten Dichter vom Alter erst im Altersgedicht. „Schon ist das Alter da" ist der Grundtenor. Freilich drückt sich in dem „Schon" – und in seinem Korrelat „Nicht-Mehr" – die Zeit in ihrer Dynamik aus, aber das unterscheidet sich nicht wesentlich vom Epos, wie sich überhaupt die Trennung zwischen Homer und Lyrik, zumindest was das Thema Greisenalter angeht, allein unter dem Gesichtspunkt der Zeitauffassung eher als problematisch darstellt. Zwar ist die Beobachtung, daß mit dem Altern sich auch der Thymos und Nous ändern – negativ von Mimnermos, positiv von Solon hervorgehoben – ohne die unterschiedliche Zeitauffassung bei Homer und den Lyrikern nicht denkbar; doch gefährlich wird die Tendenz zur vereinfachenden Gegenüberstellung Homer –

Lyrik besonders für die Beurteilung der Fragen, die sich unabhängig von der Frage nach der Wandlung der Zeitauffassung in der frühgriechischen Lyrik ergeben.

Aber auch die Breite des Aussagespektrums innerhalb der frühgriechischen Lyrik selbst tritt bei einer solchen Betrachtungsweise nur undeutlich hervor. Die Variationsbreite ergibt sich deutlich, wenn man z. B. Alkman, der das Bewußtsein von der Konstanz seiner Lieder der Kraftlosigkeit des Greisenalters entgegensetzen kann, mit Tyrtaios vergleicht, der ganz „homerisch" den Anspruch des Alters auf Achtung als selbstverständlich und gegeben betrachtet. Sappho und Solon, die zwar in der ausgeprägten Sachlichkeit ihrer Aussagen über das Greisenalter verwandt sind, unterscheiden sich doch gerade dadurch, daß Solon die Problematik des Greisenalters mehr analytisch denkend und zergliedernd zu lösen sucht und dabei jeder Lebensstufe eine nur ihr eigentümliche Arete zuweist, Sappho dagegen gerade in der Abwendung vom Einzelnen das Alter in die Konstanz ihres Lebens als Ganzem zu integrieren versucht.

Besonders nachteilig muß sich eine systematisierende Betrachtungsweise auf die Einstellung zu den Altersgedichten des Anakreon auswirken. Wenn „Tiefsinn" das einzige Kriterium für die Beurteilung eines Gedichtes sein soll, wird Anakreon schlecht benotet werden. Aber seine Fähigkeit, ein Thema spielerisch zu gestalten, läßt auch das Alter in neuem Licht erscheinen. An der Dichtung des Anakreon zeigt sich besonders deutlich, wie schwierig es ist, bei der Behandlung eines Themenkreises durch eine ganze Epoche jedem einzelnen Dichter und seiner Eigenart gerecht zu werden.

Endlich mögen die Einzeluntersuchungen gezeigt haben, daß der Versuch, die Aussagen eines Lyrikers über das Greisenalter als typisch für die ganze Epoche herauszustellen, sehr rasch zu Verfälschungen führt. Das gilt besonders für die Beurteilung des Mimnermos, dessen Anklage und Verurteilung des Greisenalters kaum als eine Auseinandersetzung mit diesem Phänomen erschien, die die Gegebenheiten und das Erscheinungsbild des Greisenalters sachlich vorzutragen die Absicht hätte. Das Greisenalter bekommt eher die Rolle eines Vehikels zugesprochen, auf das sich alle nur denkbaren Kaka laden lassen; daß dies so möglich ist, erklärt sich weniger aus einer allgemeinen pessimistischen Einstellung der Griechen zum Greisenalter als aus der für die Dichtung dieser Epoche typischen Tendenz, sich auf ein oder wenige Themen zu konzentrieren, und aus der parallel dazu entwickelten Möglichkeit, Motive beliebig zu übertragen. Seine Aussagen zum Greisenalter als typisch zu bezeichnen, erscheint demnach um so weniger gerechtfertigt.

Daß sich die Vielfalt der frühgriechischen Dichtung und die Eigenart eines jeden Dichters gerade an der Auseinandersetzung mit dem Greisenalter deutlich erkennen läßt, ist nicht erstaunlich. Denn diese Lebensstufe, in der sich nach

Aussage fast aller Lyriker der Mensch als Mensch in seiner Begrenztheit und Gottferne besonders stark erfährt, kann unter dem Aspekt der Todesnähe Entkräftung oder Erfüllung des Lebens bedeuten. Wie ein Katalysator läßt das Greisenalter die negativen wie positiven Seiten des einzelnen Lebens und der Gesellschaft, in der es geführt wird, stärker hervortreten. Dies trifft um so mehr zu, als mit dem wachsenden Bewußtsein vom Ich in der Lyrik die Auseinandersetzung mit dem Alter intensiver wird, sich zumindest verändert. Diese Veränderung in der Haltung zum „Hier, Jetzt und Ich" – um Fränkels Formulierung zu gebrauchen – läßt sich an der unterschiedlichen Einstellung zum Alter der einzelnen Dichter besonders gut zeigen. Die Wandlung in der Einschätzung des Alters läßt sich aber nicht als kontinuierliche Entwicklung beschreiben, sondern divergiert je nach den Komponenten, die von dem einzelnen Dichter als bestimmend für sich und seine Umwelt angesehen werden. In jedem Fall spielt das Verhältnis des Einzelnen zur Familie bzw. Polis für die Stellung der alten Menschen eine besondere Rolle.

Aber so vielfältig die Antworten sind, die die frühgriechische Dichtung auf die Frage nach dem Greisenalter gegeben hat, gemeinsam ist allen Zeugnissen, daß der für die spätere Zeit so typische apologetische oder – von der anderen Seite her gesehen – bösartig kleinliche Ton fehlt. Homer bedarf seiner nicht, noch weniger Hesiod; für sie sollte auch die Frage nach der „Bewertung" nur mit größter Vorsicht – am besten gar nicht – gestellt werden. Denn nach dem „Wert" einer Lebensstufe zu fragen ist erst möglich, wenn diese grundsätzlich in Frage gestellt wird. Das aber geschieht, wie mir scheint, nicht vor der Auseinandersetzung Mimnermos–Solon. Aber selbst dann und bis in das 5. Jahrhundert, bis zu Pindar, gilt, daß eine gewisse Selbstverständlichkeit in der Stellung zum Greisenalter durchgehalten wird. Jedenfalls bleibt das Problem in sich geschlossen, solange die Trennung zwischen „Innen und Außen" nicht präponderierend wird. Daß sie implizit immer vorhanden ist, zeigt sich gerade an dem vorliegenden Thema. Denn die Identität von „Innen und Außen" kann rein pragmatisch nicht durchgehalten werden; die zwei scharf gestrennten Entwicklungslinien in der Lebensalterelegie des Solon sind Beweis genug. Aber zu einer Alternative im Sinne einer Wertung wird das nie. Es gibt keine ‚Flucht' in Transzendentes. Es ergibt sich auch nicht aus dem Bewußtsein der altersbedingten Schwäche die Gefahr der Selbstentfremdung. Eine sentimentale Überhöhung des Greisenalters bleibt der hellenistischen Kleinmalerei im Epigramm vorbehalten. Dabei muß nachdrücklich der Meinung entgegengetreten werden, daß in der frühgriechischen Lyrik der Gedanke an Tod und Alter nur als Würze der Jugend und Lebensfreude erscheint. In einigen Fällen trifft das zu. Aber weitaus häufiger wird das Greisenalter um seiner selbst willen thematisch. Wäre es anders, müßte sich tatsächlich überall der rückhaltlose Jammer, von dem J. Burckhardt spricht, vernehmen lassen.

Grundsätzlich wichtig für die Einstellung gegenüber dem Greisenalter ist in der frühgriechischen Dichtung das Motiv des Zeitgemäßen. Dieser Gedanke, daß eine Lebensstufe, sei es Jugend oder Alter, sich allein von einer nur ihr zukommenden Eigenart her verstehen kann, bestimmt von Homer an die Auseinandersetzung mit dem Greisenalter; explizit wird dieser Gedanke allerdings erst in der Lyrik entwickelt. Von besonderer Bedeutung wird das κατὰ καιρὸν bei Pindar, der in diesem wie in vielen anderen Punkten deutlich auf Homer zurückgreift; jedenfalls benutzt Pindar Motive, die für Homer bzw. Hesiod wichtig, bei den frühgriechischen Lyrikern aber weniger betont sind, um durch neue Bedeutungsassoziationen die Aporie gegenüber dem Alter zu überwinden.

Hervorzuheben ist, daß es eine Beschreibung des äußeren Erscheinungsbildes eines alten Menschen in der frühgriechischen Dichtung nicht gibt – zu allerwenigst bei Mimnermos. Am sparsamsten in diesem Punkt ist Pindar. Wie rasch sich diese Lage geändert hat, erweist sich am deutlichsten in der Darstellung der alten Menschen in der Tragödie, die wirklich einer neuen Epoche angehören.

Wenn man der Überlieferung trauen darf und der Satz

ἰσχὺς καὶ εὐμορφίη νεότητος ἀγαθά, γήραος δὲ σωφροσύνης ἄνθος

wirklich von Demokrit (B 294) stammt, könnte man ihn als besonders pointiert formuliertes Beispiel für das Festhalten an den seit Homer für Altersbeschreibungen vorgegebenen Motiven und gleichzeitig für deren charakteristische Bedeutungsverschiebung (γῆρας in Verbindung mit ἄνθος) zitieren.

STELLENREGISTER